Mon Histoire

À la mémoire de Jean Fleury, mon père,
qui navigua à Terre-Neuve
C. F.-F.

Christine Féret-Fleury

S.O.S. Titanic

Journal de Julia Facchini
1912

Gallimard Jeunesse

1er avril 1912

Aujourd'hui, c'est mon anniversaire !

– Tu as quatorze ans, m'a dit maman ce matin en brossant mes cheveux emmêlés. Il serait temps de te comporter en personne raisonnable !

Elle a relevé mes nattes sur le sommet de ma tête et m'a examinée d'un œil critique. Dans la glace de la table de toilette, je l'ai vue plisser le front et j'ai cru qu'elle allait une fois de plus déplorer mes taches de rousseur, ma mâchoire trop accusée et mes sourcils épais qui, selon elle, me donnent une physionomie bien peu féminine. Mais elle s'est contentée de soupirer et de me caresser la joue d'un doigt léger. Je sais ce qu'elle pense : que je ne suis pas jolie. Aucun garçon n'aura jamais envie de me faire la cour, et je resterai vieille fille... Eh bien, cela m'est égal : je n'ai pas envie de me marier ! Toutes les femmes mariées que je connais sont des personnes dans le genre de ma mère ou de ma tante Adriana : respectables, affairées et ennuyeuses. Je me crois promise à un destin tout différent : je voyagerai dans le monde entier et je deviendrai une journaliste célèbre, une exploratrice, comme Mrs. Kingsley, qui a laissé sa carte de visite entre deux pierres au sommet du mont Cameroun pour se moquer des hommes férus de leur gloire personnelle, ou Mrs. Anna Blunt, dont j'ai dévoré cet hiver le *Pèlerinage au Nedjed* – un livre extraordinaire !

Avant de quitter ma chambre, maman m'a aidée à boutonner ma robe écossaise. Je la préfère à toutes les autres, car sa jupe large me permet de faire de grands pas. Ce qui est, paraît-il, peu convenable : « Les jeunes filles ne sont pas censées marcher comme des généraux d'infanterie » (ça, c'est mon oncle Alfredo qui le prétend). Parfois, j'ai l'impression que ma tête va éclater, à force d'essayer de me rappeler ce qui est convenable et ce qui ne l'est pas.

– Il faudrait rallonger ces jupes, a ajouté maman. Tu n'es plus une fillette pour montrer ainsi tes mollets. On pourrait peut-être ajouter une bande de tissu dans le bas... à moins qu'un entre-deux... il me reste justement une chute de velours marron...

À ce moment-là, mon frère Luigi est entré en coup de vent, ce qui m'a dispensée de formuler le moindre commentaire. Je n'ai aucune envie de me prendre les pieds dans une jupe longue, de porter un corset, des gants et de devoir me larder la tête d'épingles à cheveux. Et je déteste les entre-deux et le velours marron. Ce n'est vraiment pas juste : Luigi a le droit de se promener dans la rue avec ses camarades, de jouer au *soccer* et d'aller sur le port admirer les bateaux – tout cela, pour la seule raison qu'il est un garçon. Alors que moi, je suis obligée d'aider maman à l'épicerie, d'astiquer les cuivres, d'épousseter la pendule, de broder et de repriser des chaussettes...

– Luigi ! a grondé maman. Tu ne peux pas frapper, au lieu d'enfoncer les portes ?

– Mmm, a marmonné mon frère. Trop pressé, m'man. John et Pat m'attendent. Et puis il y a les livraisons. Bon anniversaire, Poisson d'Avril ! Que tous tes vœux se réalisent !

Il m'a planté un baiser humide près de l'oreille et m'a tendu un paquet mal ficelé. Avant même que j'aie eu le temps de le remercier, il avait filé.

Dans ma hâte, j'ai déchiré le papier d'emballage froissé. Quelle merveilleuse surprise ! Un cahier épais – celui sur lequel j'écris en ce moment – relié en toile rouge avec, sur la couverture, ces mots imprimés en lettres dorées : « Mon journal ». Cher Luigi ! J'ai parfois l'impression qu'il ne me voit même pas, tant il est occupé par ses propres affaires. Mais il a été le seul à deviner mon désir le plus grand et le plus secret : écrire. Papa et maman pensent que j'en saurai toujours assez pour tenir les comptes de la boutique et rédiger les lettres aux fournisseurs ; c'est pourquoi j'ai dû quitter l'école il y a déjà un an. Je n'en ai pas été trop affligée, car je m'y ennuyais ferme. Il n'y avait que deux institutrices et une répétitrice, Miss Brown, et nous passions des heures à ourler des torchons, ou à confectionner des bourses en filet, en l'écoutant lire la Bible. Parfois, je m'endormais sur mon ouvrage... Maintenant, je suis inscrite à la bibliothèque publique : la bibliothécaire est très gentille, elle a tout de suite compris qu'il était inutile de me proposer des romans « pour jeunes filles ». J'en ai bien lu quelques-uns, mais je m'en suis vite lassée. C'est toujours la même chose : l'héroïne est pauvre, mais vertueuse (et ravissante, bien sûr). Obligée de travailler pour gagner sa vie, elle entre comme gouvernante dans une famille aristocratique. Le fils de la maison tombe éperdument amoureux d'elle, mais ses parents s'opposent à leur union ; chassée, humiliée, la jeune fille reste d'une dignité admirable… Elle finit par sauver un vieux duc de la noyade, ou du désespoir, ou des deux, il l'adopte et lui lègue une fortune, elle peut enfin épouser l'amour de sa vie et tout se finit dans un torrent de larmes d'attendrissement et de repentir. Très peu pour moi ! Je préfère les récits de voyage et les romans d'aventure. Je viens d'en finir un que j'ai adoré : *Futility*, de Mr. Robertson. C'est l'histoire d'un énorme paquebot qui aborde, en pleine mer, un trois-mâts et le coupe en deux, en dépit des avertissements de la vigie… Le commandant offre cent livres à l'homme de veille pour qu'il se taise sur cet « incident », mais son châtiment ne tarde pas : le bateau heurte un iceberg et disparaît dans les profondeurs de l'océan avec la plupart des passagers… Brr ! J'en avais froid dans le dos. Couchée, bien au chaud, sous mon édredon, je croyais voir se dresser devant moi une haute muraille de glace aux reflets bleutés. J'entendais les cris des malheureux qui tentaient de monter à bord des canots de sauvetage et basculaient dans l'eau glacée ! Je me suis tournée et retournée dans mon lit jusqu'à minuit sonné mais, finalement, maman est entrée et a emporté ma lampe en me disant que j'allais m'abîmer les yeux.

Au déjeuner, papa m'a offert un col en dentelle, maman un nécessaire de couture, et Molly, la femme de journée, une pelote à épingles qu'elle a confectionnée elle-même. J'attends ce soir avec impatience, car mon oncle et ma tante viennent souper à la maison, et je recevrai sûrement d'autres cadeaux !

Je viens d'entendre résonner la cloche de la boutique ; c'est la vieille Miss Withers, qui vient tous les matins à 8 h chercher son œuf du jour – « et qu'il soit frais, mon enfant ! Je ne supporte pas la nourriture avariée ! » Il faut que je descende.

2 avril, 1 h du matin

Je guette les bruits, mais la maison est endormie et j'ai posé mon traversin contre la porte pour que la lumière ne filtre pas dans le couloir. Je ne peux vraiment pas attendre à demain pour noter tout ce qui s'est passé pendant la soirée !

Mon oncle et ma tante sont arrivés vers 6 h. Oncle Alfredo m'a offert des rubans de velours vert pour mes cheveux (il est représentant en mercerie et je soupçonne que ce cadeau ne lui a pas coûté un sou). Tante Adriana m'a fait présent d'un très joli médaillon qui contient un daguerréotype de maman, un peu pâli.

– Elle avait ton âge, Julia, a-t-elle murmuré d'une voix émue. C'était quelques mois après notre arrivée à New York... Je travaillais alors chez une modiste de la Cinquième Avenue et j'ai dépensé presque tout mon premier salaire pour ce portrait ! Papa était furieux ! Mais j'y tenais. J'en ai envoyé un tirage à ton arrière-grand-mère : elle était si heureuse, la pauvre femme !

Je l'ai remerciée avec effusion et elle m'a aidée à attacher la chaîne du médaillon autour de mon cou. À présent, il est ouvert devant moi, sur ma petite table, et une Anna de quatorze ans me regarde d'un air sérieux et volontaire. J'aime son visage : elle semble prête à mordre à belles dents dans la vie toute neuve qui s'offre à elle. Qui aurait pu penser que cet enthousiasme la mènerait dans une épicerie de Brooklyn et qu'elle y resterait, satisfaite de son sort ? Ne regrette-t-elle jamais de ne pas avoir connu autre chose ? J'aimerais bien lui poser la question, mais je n'ose pas. Elle me répondra que le premier souci d'une femme chrétienne doit être de se dévouer aux siens, qu'il faut s'oublier, que le bonheur réside dans l'abnégation. Et puis elle trouvera un prétexte pour sortir de la pièce en clamant qu'elle est bien trop occupée pour se laisser aller à ce qu'elle appelle « des rêvasseries d'enfant gâtée ».

– Moi, à ton âge...

Oui, maman, je sais. À mon âge, tu venais d'arriver d'Italie avec ton père et ta sœur aînée. Ta mère était morte à ta naissance, aussi Adriana jouait-elle depuis longtemps le rôle de « petite maman ». Tu marchais avec des bottines percées, tu cousais tout le jour des trousseaux pour les jeunes filles de la bonne société, il fallait compter chaque sou et se laver au savon noir... Selon toi, je ne connais pas mon bonheur. Et tu as peut-être raison... mais...

Je viens de relire ce que j'ai écrit : quel fouillis ! Je ne deviendrai jamais journaliste si je n'apprends pas à discipliner un peu mes pensées. J'aurais dû commencer par... le commencement, c'est-à-dire par « faire mon portrait physique et moral », comme disait Miss Meadowes, la directrice de l'école, qui donnait, année après année, les mêmes sujets de composition.

Reprenons tout à zéro :

Mon nom est Julia Facchini. Je suis née le 1er avril 1898 à Brooklyn, dans l'arrière-boutique de l'épicerie paternelle. J'étais si pressée de venir au monde que ma mère n'a même pas eu le temps de monter l'escalier ! La sage-femme est arrivée trop tard : je braillais déjà dans les bras de papa, tout heureux d'avoir une *bambina*. Pour la naissance de Luigi, deux ans auparavant, il avait fait peindre une enseigne neuve : « Facchini & Son ». Pour moi, pas de lettres jaunes sur fond vert épinard, mais une médaille de la Madone bénie par notre Saint-Père le pape : elle arriva de Rome, via Gênes, dans une petite boîte en fer bourrée de coton, avec les bons souhaits de toute la famille restée au pays – un nombre impressionnant d'oncles, de tantes, de cousins et de cousines.

Avec deux enfants à nourrir, mes parents redoublèrent d'énergie ; bientôt, il ne resta plus rien de la petite échoppe étroite et sombre, où s'entassaient pêle-mêle boîtes de conserve, barils de sel et de chou allemand, roues de fromage, paniers de pruneaux et d'oranges, boîtes de biscuits, pains de savon, balais, bougies, articles de mercerie et bien d'autres choses encore. Une cloison fut abattue, le seuil élargi, des chambres aménagées sous les combles. Les affaires se mirent à marcher et maman put engager une femme pour les gros travaux : Molly, une Irlandaise au teint coloré et aux yeux bleus. Elle s'est beaucoup occupée de moi quand j'étais petite, et je l'adore. Pourtant, maman dit qu'elle a « un caractère impossible ». C'est peut-être à cause de cela que je suis aussi têtue !

Ma tante Adriana et mon oncle Alfredo représentent notre seule famille, ici, aux États-Unis. Ils n'ont jamais eu d'enfant et ont acquis ce que papa appelle « une confortable aisance ». Ma tante possède maintenant son propre atelier de modiste ; elle a beaucoup de goût et ses chapeaux sont recherchés. Une belle réussite pour des immigrants qui, quand ils ont débarqué à New York, possédaient à peine plus que leurs vêtements. Maman m'a souvent raconté leur voyage depuis l'Italie, un véritable enfer, prétend-elle. Les passagers de troisième classe étaient entassés à cinquante par dortoir, au milieu d'un amoncellement de ballots et de malles, ils ne pouvaient monter sur le pont qu'à certaines heures de la journée, et la nourriture était infecte. De plus, elle a souffert du mal de mer pendant toute la traversée.

Papa, lui, est né ici, à Brooklyn où ses parents s'étaient installés en 1860. Comme moi, il a grandi au milieu du tohu-bohu des fiacres et des cris des rémouleurs, cireurs de bottes, vendeurs de journaux, hommes-sandwiches et autres marchands des quatre-saisons. Comme moi, il avait un frère aîné, Alfredo. Les deux frères ont épousé les deux sœurs, rencontrées au mariage de l'une des camarades d'atelier d'Adriana. On manquait de cavaliers pour la soirée, et tous les amis du marié avaient été priés d'amener un jeune homme présentable. Papa dit qu'il est tombé amoureux au premier regard.

– Des deux ? lui ai-je demandé un jour pour le taquiner.

– Bien sûr ! a-t-il répondu en riant.

Puis il a repris son sérieux.

– Ta mère était si belle... je me souviens encore de son corsage blanc à raies rouges... elle avait passé un petit bouquet de violettes à sa ceinture. À la fin de la soirée, nous avons raccompagné nos danseuses. Je lui ai demandé de me donner ses fleurs...

– Et j'ai accepté, a conclu maman.

– Et après ?

– Et après, vous êtes nés tous les deux, pour mon tourment !

Mais elle riait, elle aussi.

Papa a raison : maman était très belle, et elle l'est encore avec ses bandeaux noirs à peine touchés de gris aux tempes, ses yeux gris-vert et son teint clair. Je ne lui ressemble pas, hélas. Je suis, paraît-il, « tout le portrait de mon père ». Des cheveux roux indociles, un nez retroussé, le nez et le menton un peu forts, il faut bien admettre que je n'ai rien d'une héroïne de roman ! Mais je suis contente de ressembler à papa, même si lui non plus ne possède pas la prestance d'un acteur de cinématographe. Tous les deux, nous avons des dents très blanches et, paraît-il, un air de santé : c'est toute notre beauté ! Tant pis ! Je saurai m'en contenter.

Voilà pour le physique. Au moral, eh bien, sache-le tout de suite, cher journal : je collectionne tous les défauts de la terre. Je suis désordonnée, trop curieuse, étourdie, maladroite, peu soigneuse, rêveuse, insolente, irritable, susceptible... et j'en oublie ! Je ne parlerai pas de mes qualités. Mes camarades d'école disaient de moi que j'étais « un chic type ». Je ne sais pas très bien ce qu'elles entendaient par là, mais les compliments sont si rares que j'ai empoché celui-là avec reconnaissance.

J'ai encore tant à te raconter ! Mais ma bougie grésille, et mes paupières sont lourdes... À demain...

Je n'ai encore rien dit de la GRANDE nouvelle !

2 avril, 5 h de l'après-midi

Ouf ! Deux heures de couture, c'est vraiment trop ! J'ai repris le talon d'un de mes bas (maman : « Je me demande comment tu fais pour les user à ce point »), défait l'ourlet de la fameuse robe écossaise, réparé une boutonnière au manteau d'hiver de papa. Maman et moi, nous avons sorti et secoué tous les lainages de la famille. Quelle drôle d'idée, me dira-t-on, alors que le printemps arrive ! Dehors, il fait doux et gris, une fine bruine rend le pavé luisant. À chaque coin de rue, des jeunes filles ou des garçonnets, abrités sous de grands parapluies, vendent des bouquets mouillés et parfumés. Dans Central Park, un brouillard vert flotte au pied des buildings : ce sont des milliers de petites feuilles neuves qui se déplient en toute hâte, impatientes de s'offrir à la lumière.

Mais là où je vais, il fera froid, et même très froid... du moins pendant quelques jours. Un froid de glace !

Tu ne devines pas ? Non, tu ne peux pas deviner... c'est tellement incroyable ! Je ne te laisserai pas languir plus longtemps...

Nous allons en Italie ! Par bateau ! Je vais traverser l'Atlantique ! Moi, Julia Facchini, je vais faire mon premier grand voyage !

Et je verrai peut-être des icebergs...

Papa nous l'a annoncé au dessert, hier soir. Molly avait préparé un délicieux pudding au citron. Pendant que nous le dégustions, j'ai surpris papa et oncle Alfredo qui échangeaient des clins d'œil ; ils avaient l'air de deux garnements en train d'échafauder le plan de quelque farce. Luigi, le nez dans son assiette, n'avait rien remarqué. Maman fronçait les sourcils et interrogeait du regard tante Adriana qui affichait un air mystérieux et renseigné.

Enfin, les deux hommes, rassasiés, ont repoussé leurs assiettes. Papa a toussoté.

– Anna, a-t-il commencé en posant sa main sur le bras de maman, cela te plairait-il de revoir ta cousine Fiammetta, Rosa, Gina, leurs enfants, et toute la famille ?

Maman a haussé les épaules.

– Quelle question ! Bien sûr que j'aimerais les revoir. Mais c'est impossible ! À moins que...

Elle s'est redressée sur sa chaise, les yeux brillants.

– Auraient-ils décidé de venir s'installer ici, aux États-Unis ? Ce serait merveilleux ! Mais Fiammetta me l'aurait écrit !

Papa a éclaté de rire.

– À ma connaissance, ils n'ont pas quitté Gênes, et n'ont pas l'intention d'émigrer.

– Mais alors, je ne comprends pas...

Oncle Alfredo a alors tiré de son gilet une liasse de papiers qu'il a agitée.

– Voilà tout ce qu'il y a à comprendre !

Comme j'étais assise à côté de lui, j'ai pu lire un nom sur la feuille du dessus : « Cunard Line ».

– Oui, petite Julia, a opiné mon oncle. Tu as bien vu : des billets de bateau ! Et, attention : pas de troisième classe, cette fois, pour la famille Facchini ! Nous voyagerons en seconde, comme des bourgeois !

Maman s'est tournée vers son mari.

– Cesare, que raconte-t-il ? Avez-vous perdu la tête, tous les deux ?

Papa s'est levé et a disparu dans la cuisine. Un instant plus tard, il revenait avec une bouteille de champagne.

– Ce soir, c'est la fête !

Il m'a pincé la joue.

– Nous fêtons l'anniversaire de Julia et notre retour au pays !

J'ai eu droit à deux doigts de vin pétillant et doré, dont les bulles me sont très vite montées à la tête. Envahie d'une douce euphorie, j'ai prêté une oreille distraite aux explications et interrogations qui s'échangeaient au-dessus de ma tête :

– Je voulais vous faire la surprise, a murmuré papa, qui pressait la main de maman dans la sienne. Cela fait des années que nous économisons pour ce voyage, Alfredo et moi...

– Et moi ? a crié Luigi. Vous m'emmenez ?

– Bien sûr, mon grand ! a dit tante Adriana.

– Je n'arrive pas à y croire, bégayait maman qui s'essuyait les yeux avec son petit mouchoir bordé de dentelle.

– Les enfants doivent connaître leur pays d'origine...

– Ce sera si bon de les retrouver tous...

– Combien de temps resterons-nous ? Un mois ? Mais la boutique... Pouvons-nous vraiment... ?

– Ne t'inquiète de rien, ma chérie, j'ai tout prévu...

Je n'écoutais plus. J'entendais le chuchotis des vagues, le claquement des haubans, les cris, des mouettes volant dans le sillage du navire... j'étais déjà partie.

5 avril

Toute la maison est sens dessus dessous ! Impossible de faire un pas sans trébucher sur une malle ouverte, un ballot de linge sale ou une pile de châles. Nous embarquons le 11 avril sur le *Carpathia*, un paquebot à destination de Gibraltar, Gênes et Trieste. Maman ne cesse de monter et de descendre les escaliers en courant. Elle me pousse de côté et d'autre comme un paquet encombrant, houspille Luigi et donne à Molly tant d'ordres contradictoires que celle-ci a menacé hier de rendre son tablier. Du coup, maman s'est laissée tomber dans un fauteuil et a éclaté en sanglots. Molly, apitoyée, lui a présenté le coin de son torchon en guise de mouchoir.

– Vous mettez pas dans cet état, Mrs. Facchini, a-t-elle dit. Je croyais que vous étiez contente de revoir votre famille ?

– Bien sûr que je suis contente ! Mais j'ai si peu de temps pour faire mes préparatifs... voilà bien les hommes : ils achètent un billet de bateau et s'imaginent que le reste se fera tout seul.

Elle a agité un doigt menaçant dans ma direction.

– Ne ris pas, ma fille ! Tu verras que ni ton père ni ton frère ne se donneront la peine d'emballer une seule paire de chaussettes... et les cadeaux, ont-ils pensé aux cadeaux ? Non, bien sûr ! Nous ne pouvons tout de même pas arriver là-bas les mains vides !

Soudain revigorée, elle a relevé la tête.

– Nous allons faire des listes. Julia, prends de quoi écrire.

Nous avons couvert des pages et des pages. « Rien que l'indispensable », prétend maman. L'indispensable ? Je crois que si elle pouvait emporter la maison toute meublée, elle n'hésiterait pas ! Caoutchoucs et voilettes (« l'air du large gâte le teint »), chaufferettes, flacon de liniment pour les douleurs, flanelles pour les lumbagos, ombrelles, parapluies, papier à lettres, cire à cacheter, statuette de la Madone (« pas question de voyager sans elle, cela nous porterait malheur ») et un assortiment de pilules pour tous les maux de la terre, qu'ils concernent le foie, la rate ou le système digestif. Molly a regagné la buanderie, sommée de faire en trois jours la lessive de trois mois.

Il a fallu inspecter chaque pièce de lingerie, recoudre des dizaines de boutons, ajouter des garnitures ou changer celles qui étaient défraîchies. Le pauvre Luigi, qui avait eu le malheur d'entrer au mauvais moment dans la cuisine, a été réquisitionné pour cirer les chaussures de toute la maisonnée ; je l'ai entendu grogner et pester toute la matinée. Gageons qu'on ne le reverra pas avant le jour du départ. Il a clamé à tous les échos qu'il demanderait l'hospitalité à John ou à Pat, « tout plutôt que de remettre les pieds dans cette maison de fous ! »

❀

Par chance, il y a de nombreuses courses à faire, et maman, faute de mieux, a dû m'en charger. Finies les corvées ménagères ! Je cours les magasins toute la journée à la recherche de divers colifichets, foulards, écharpes, flacons de parfum, boîtes de cigares ou de chocolats... et même des mitaines tricotées en laine angora gris perle pour la grand-tante Catalina qui se plaint toujours, dans ses lettres, de ses rhumatismes. Il faudra une énorme caisse pour emporter tous ces présents de retrouvailles. Maman, qui d'habitude tient serrés les cordons de la bourse, est généreuse à sa manière ; je crois aussi qu'elle veut montrer à ses parents italiens que sa situation financière s'est améliorée, ici, en Amérique. Peut-être caresse-t-elle l'espoir que certains, parmi les plus jeunes, suivront son exemple et viendront s'installer à New York ?

Mes emplettes terminées, je traîne toujours un peu sur le chemin de la maison. Je descends au bord de l'Hudson, près des piles du pont de Brooklyn, et je regarde les bateaux qui passent, leurs voiles repliées, un petit fanal à la proue. Je leur souris comme à de vieux amis : pour la première fois, je ne regrette pas de ne pouvoir les suivre. Dans moins d'une semaine, je serai en mer...

7 avril

C'est dimanche – le dernier avant notre départ. Il y a encore beaucoup à faire, mais maman a tenu à ce que nous assistions à la grand-messe. Bien récurés et tirés à quatre épingles, nous avons donc pris, en procession, le chemin de l'église. Pendant l'office, mon esprit s'est mis à vagabonder. Je regardais la poussière danser dans un rai de soleil en rêvant que je contemplais, du pont de notre navire, un ballet de marsouins, quand les paroles du curé ont réveillé mon attention : « Prions, mes frères, pour ceux qui souffrent... ceux qui errent... ceux qui sont au péril de la mer... »

« Au péril de la mer... » J'ai frissonné. Des images de naufrages, nées de mes lectures, ont défilé devant mes yeux : bouches ouvertes sur un cri, cheveux flottant comme des algues autour du visage des noyés, coques défoncées comme de fragiles coquilles de noix ou cédant sous la pression de l'eau, survivants accrochés à des canots renversés, à des malles, des rames, tout ce qui peut flotter...

Au retour, j'ai demandé à l'oncle Alfredo :

– Le *Carpathia* est-il un bon bateau ?

Il a levé les sourcils.

– Que veux-tu dire, Julia ?

J'ai hésité : j'avais un peu honte d'être aussi impressionnable.

– Eh bien... est-il solide ? Risquons-nous de... faire naufrage ?

Il a eu un bon rire.

– Anna, ta fille lit trop de feuilletons !

Paternellement, il m'a pincé la joue.

– Crois-moi, j'ai pris mes renseignements ! Crois-tu que ton père et moi aurions pris passage sur un cimetière flottant ? Le *Carpathia* navigue depuis dix ans, puisqu'il a été lancé en 1902, mais il a été remis entièrement en état il y a quelques années. Et, à la fin de chaque saison, on me l'a affirmé, il retourne à Liverpool où sa coque est passée au peigne fin... Tu vois, tu n'as aucun souci à te faire !

Luigi m'a poussée du coude.

– Alors, la grande aventurière ? On a la trouille ?

Je l'ai repoussé avec humeur. Encore une fois, j'aurais mieux fait de me taire ; maintenant, tout le monde va se moquer de moi.

Au cours du repas, la conversation a roulé sur les nouveaux « géants des mers », ces transatlantiques qui tous les ans se disputent le Ruban bleu, le record de la traversée.

– Notre paquebot ferait figure de dinghy à côté de ces villes flottantes, a dit papa. Le *Kaiser Wilhelm II* mesure plus de deux cents mètres de long !

– Deux cent quinze mètres, exactement, a annoncé oncle Alfredo, fier d'étaler sa science toute fraîche. Mais l'Allemagne n'est plus à la pointe de la construction navale : le *Mauretania* et le *Lusitania* mesurent deux cent cinquante-deux mètres de long et jaugent trente-deux mille cinq cents tonnes ! Savez-vous qui, depuis trois ans, détient le Ruban bleu ? « Notre » compagnie, la Cunard ! C'est elle qui a armé le *Mauretania*...

À ma grande surprise, tante Adriana est intervenue :

– En ce moment, on ne parle que du lancement du nouveau paquebot de la White Star... il paraît que c'est un vrai palais flottant ! Comment s'appelle-t-il, déjà ?

– Le *Titanic* ! s'est écrié Luigi. J'ai lu un article dans le *Herald*.

Il s'est penché en avant, les yeux brillants.

– Certains appartements privés comportent un salon, une salle à manger, une chambre, une salle de bains... et même un pont-promenade réservé ! Il y a une piscine, une salle de gymnastique, un court de squash... des bains turcs ! Vous imaginez ça ?

– Je ne savais pas que tu t'intéressais tant aux bateaux, a glissé maman à sa sœur.

Celle-ci a rougi.

– Beaucoup de célébrités doivent embarquer sur le *Titanic* pour son voyage inaugural. Mr. Guggenheim...

– Le roi du cuivre ? a demandé papa.

– Lui-même. Et aussi Mr. Isidore Straus, le propriétaire du grand magasin Macy's. Il fera la traversée en compagnie de sa femme... en première classe, bien sûr. Il y aura aussi l'aide de camp du président Taft, les « rois des chemins de fer », Charles Hays et John B. Thayer, et...

Papa a haussé les épaules.

– Les femmes... vous êtes bien toutes les mêmes. Un nom ronflant suffit à vous éblouir... L'Amérique est le pays de la liberté, sacré bon Dieu, et tous ses citoyens sont égaux !

– Cesare ! s'est exclamée maman d'un ton sévère. Jurer ainsi le jour du Seigneur ! Devant tes propres enfants !

Luigi a porté sa main à sa bouche pour étouffer un rire intempestif. Parfois, je voudrais bien être une petite souris : ainsi, je pourrais surprendre ses discussions avec ses amis John et Pat. Je ne sais pas de quoi parlent les garçons entre eux, mais je suis sûre qu'ils profèrent d'effroyables jurons, bien pire que l'innocent blasphème de papa !

Après le déjeuner, les hommes sont « sortis faire un tour ». Malgré mon désir de les accompagner, j'ai dû rester à la maison pour aider maman et tante Adriana dans leurs préparatifs. Tout en repassant des cols et des manchettes (je surveillais la température des fers en les approchant très près de ma joue), elles ont continué à parler du *Titanic*.

– Nous ne serons pas à New York pour l'arrivée du *Titanic*, a dit ma tante. C'est dommage, mais nous n'allons pas nous plaindre !

– Il paraît, a chuchoté maman d'un air de conspirateur, que les Astor seront à bord.

Tante Adriana a lâché un petit rire scandalisé.

– Non ? Tu veux dire...

– Le colonel John Astor, oui.

– Celui qui a...

– Julia, m'a demandé maman tout à coup, voudrais-tu descendre chercher de l'amidon dans l'arrière-boutique ? J'en ai besoin pour refaire de l'empois...

J'ai compris qu'elle cherchait à m'éloigner. Docilement, je suis sortie de la pièce et j'ai tiré le battant de la porte derrière moi. Sur le palier, leurs voix me parvenaient encore, étouffées :

– Oui, tu sais bien, il a divorcé en 1909… un vrai scandale ! Et à peine deux ans plus tard, le voilà qui veut se remarier avec une toute jeune fille ! Trente ans de moins que lui, et ravissante.

– J'en ai entendu parler, a opiné ma tante. Aucun pasteur de l'État de New York n'a voulu célébrer ce mariage.

– Ils ont fini par en trouver un, à Newport. Un certain Lambert, qui a dû se démettre ensuite de ses fonctions. Aussitôt après, le couple a quitté le pays. Ils ont passé leur lune de miel en Égypte…

– Sais-tu que j'en rêve… les pyramides…

– Ah oui ? Pas moi : il fait trop chaud, là-bas. En revanche, je les aurais bien suivis à Paris !

Maman a pouffé comme une écolière.

– Enfin, toujours est-il qu'ils reviennent au bercail. Je me demande comment ils seront accueillis par la bonne société…

– Je ne me ferais pas trop de souci pour eux, si j'étais toi !

Haussant les épaules, j'ai dévalé le petit escalier. Ces histoires de divorce, de remariage, quel intérêt ? Je me demande pourquoi maman croit nécessaire de ne jamais aborder ces sujets en ma présence. Elle ne cesse de me répéter qu'il faut préserver l'innocence des jeunes filles. Si elle savait... les jeunes filles, comme elle dit, ont bien d'autres choses en tête!

10 avril

Demain, c'est le grand jour! Je viens de boucler ma malle. J'avais déposé ce cahier sur mes chemises de nuit, mais au dernier moment je l'ai repris. Je préfère ne pas m'en séparer. Un véritable journaliste garde à portée de main ses outils de travail! J'ai taillé plusieurs crayons, que j'ai glissés dans la doublure de mon manteau; si je dois prendre des notes, cette précaution m'évitera l'ennui d'avoir à chercher partout une plume et un encrier. Il y a, à bord du *Carpathia*, un salon-bibliothèque où les passagers peuvent s'installer pour lire ou faire leur correspondance: mais je ne crois pas que j'y passerai beaucoup de temps... Je resterai sur le pont, j'écouterai les conversations des marins, je contemplerai la mer! Et, le soir, je coucherai sur le papier tout ce que j'aurai appris, tout ce qui m'aura étonnée, amusée, émue. Ce sera un excellent exercice pour plus tard.

Naturellement, papa et maman ignorent tout de mes projets d'avenir. Je n'ose même pas imaginer leur réaction ! Il faudra les mettre devant le fait accompli... oui, mais comment ?

Plus j'y pense, plus je suis persuadée que ce voyage est la chance de ma vie. Si je réussis à écrire une ou deux bonnes histoires, je les enverrai à une revue, sans dire mon âge. Et si jamais je suis publiée, alors... tout deviendrait possible !

Julia, Julia, tu rêves. Si Luigi pouvait lire par-dessus ton épaule, il ricanerait et te tâterait le front pour voir si tu as de la fièvre. Il dirait... oh, non. Je ne veux même pas y penser. J'ai le droit de rêver. Même l'impossible. Après tout, ceux qui les premiers ont abordé les côtes de l'Amérique partaient, eux aussi, à la poursuite d'un rêve fou. Sans les fantaisistes, les rêveurs, les idéalistes (un mot nouveau, que je viens d'apprendre et qui me plaît beaucoup), rien de grand ne se ferait en ce monde. Absolument rien. Il faut y croire !

J'entends la porte d'entrée claquer, et des voix joyeuses montent du rez-de-chaussée. Oncle Alfredo et tante Adriana viennent d'arriver. Comme nous devons nous lever très tôt pour nous rendre au port, ils vont dormir à la maison, et nous prendrons un fiacre demain matin (ou deux, ou trois, a soupiré papa devant le monceau de bagages empilés dans l'arrière-boutique). Il va falloir se serrer : mes parents céderont leur chambre, je partagerai mon lit avec maman, et papa couchera avec Luigi. À la guerre comme à la guerre ! Mais je ne crois pas que je pourrai ouvrir mon journal ce soir. Je ne crois pas non plus que je réussirai à fermer l'œil !

La pendule du salon vient d'égrener six coups... je jette un coup d'œil par la fenêtre. Il fait encore jour. Demain, à cette même heure... ah, demain !

11 avril, 9 h du matin

Dans ce décor nouveau, j'ai l'impression d'être l'héroïne d'une pièce de théâtre ou d'un roman. La scène représente une cabine de bateau. En face de moi, un hublot, qui ne donne hélas pas sur la mer, comme je l'espérais, mais sur une coursive mal éclairée. À gauche, deux couchettes superposées, solidement fixées à la cloison ; à droite, un lavabo surmonté d'une glace grande comme un mouchoir de poche. Une petite armoire, une table également fixée au sol, deux chaises, et c'est tout. Assise sur l'une de ces chaises, une jeune fille écrit. Ses yeux sont gros de sommeil et, de temps à autre, sa tête s'incline, presque à toucher les pages de son cahier...

Ce n'est pas un jeu de scène : si je n'avais pas si peur de rater l'appareillage, j'aimerais me coucher et dormir ! Comme je l'avais prévu, j'ai passé la nuit dernière collée contre le mur, les yeux grands ouverts, et comptant les heures aux tintements de la pendule. Peu à peu, j'ai sombré dans un demi-sommeil agité de rêves extravagants, où je tenais la barre d'un navire secoué par une furieuse tempête. J'ai entendu sonner deux heures, puis trois... puis plus rien. Mais à 5 h, branle-bas de combat ! Je n'avais pas fini d'enfiler mes bas qu'il fallait déjà avaler une assiette de gruau ; le thé avait un goût amer, les toasts étaient brûlés ; Luigi cherchait partout sa nouvelle cravate bleue, tante Adriana se plaignait d'une migraine, maman ne cessait de fermer et d'ouvrir les malles pour y fourrer un objet oublié, et papa tentait vainement de l'en empêcher, lui assurant qu'elle n'avait nul besoin de son œuf à repriser, ni de son collier de jais (« Et s'il y a un deuil dans la famille pendant que nous sommes là-bas, Cesare ? »). Seul oncle Alfredo montrait un calme olympien. Grâce à lui, tant bien que mal et à l'heure dite, nous avons débarqué sur le port de New York avec armes et bagages. Nos malles ont disparu comme par enchantement sur le chariot d'un employé de la compagnie maritime, et nous avons pu enfin respirer.

Dans la pénombre, j'ai aperçu une forêt de mâts, de grues, deviné un grouillement humain (les passagers qui se pressaient à la passerelle), senti une odeur de sel et de goudron. La tête me tournait un peu. Du bateau, je n'ai rien vu ou presque : une haute muraille sombre qui se dressait au-dessus de nos têtes, la silhouette d'une cheminée, et c'est tout. De rares lanternes brillaient à la coupée, quelques hublots étaient éclairés. Un steward en uniforme a pris nos billets et nous a guidés jusqu'à nos cabines, où nos bagages avaient déjà été déposés. Il nous a expliqué que nous devions remettre aux commissaires de bord l'argent et les objets de valeur que nous emportions, pour qu'ils les enferment dans les coffres du navire. Sinon, en cas de vol, la Cunard déclinerait toute responsabilité. Cela a fait rire maman et tante Adriana : elles ne possédaient pas de bijoux assez précieux pour tenter les voleurs, ont-elles expliqué. Mais papa a décidé de mettre au coffre une partie du pécule prévu pour notre séjour en Italie.

– Si nous faisons naufrage, a objecté oncle Alfredo, tu perdras tout. Tu ferais mieux de coudre les rouleaux de billets dans l'ourlet de ton manteau...

– Me vois-tu arpenter le pont comme un canard, avec mes ourlets gonflés de papier ? a répondu papa en haussant les épaules.

– Cela me rappelle cette femme sur le bateau, tu te souviens, Anna ? s'est écriée tante Adriana. Peut-être as-tu oublié, tu étais si jeune...

Maman a souri.

– Non, je la revois très bien : c'était une Suédoise, je crois, ou une Danoise. Elle portait sur elle tous les vêtements qu'elle possédait : sa robe de tous les jours et celle des dimanches, trois jupons, deux camisoles...

– Un manteau et deux châles, a complété ma tante. Une vraie boule !

– Et ses ourlets étaient lestés de toutes sortes de choses : pièces, ciseaux à broder, billets... toute sa fortune. Quand elle dansait... il y avait un violoniste à bord, un Russe, je crois, un jeune homme très maigre, aux joues creuses, qui avait certainement la tuberculose... on entendait un bruit métallique...

– Et elle transpirait comme un bœuf de labour, parce qu'elle étouffait sous toutes ces couches de vêtements ! a conclu tante Adriana. Mais pas moyen de la persuader d'en enlever quelques-uns !

– Eh bien, vous ne me verrez pas dans cet état, a déclaré papa. Je vais de ce pas mettre notre argent en sûreté.

Maman m'a enveloppée d'un regard scrutateur.

– Tu devrais te laver les mains, Julia. Tu es noire comme un charbonnier. Et toi aussi, Luigi.

– Nous appareillons dans une heure, a dit oncle Alfredo. Retrouvons-nous sur le pont des secondes !

L'heure est presque écoulée ; Luigi ne m'a pas attendue, bien sûr, et je vais devoir retrouver seule mon chemin dans ce dédale de couloirs et d'escaliers. J'ignore si je reverrai la lumière du jour ! Allons dire au revoir à l'Amérique !

11 avril, 10 h du soir

Quelle journée ! Que d'événements, que d'émotions ! Le hublot est à nouveau là, en face de moi, avec son petit rideau qui se balance au rythme tranquille de la houle. De ma malle ouverte s'échappent pêle-mêle vêtements, bas et chaussures. Il faudra que je mette bon ordre à tout cela, car maman ne manquera pas de venir inspecter ma cabine, et le mousse Julia n'a qu'à bien se tenir ! Dès mon réveil, c'est promis, je rangerai. Pour l'instant, j'ai mieux à faire.

Comme je l'avais prévu, je me suis perdue en cherchant le pont-promenade des secondes classes. Je me doutais bien qu'il fallait toujours monter, aussi ai-je emprunté tous les escaliers que je rencontrais ; peine perdue. J'ai fini par déboucher sur une sorte d'étroit balcon (ce n'est sûrement pas le terme exact, mais je suis encore un matelot novice), tout à l'arrière du navire. Un petit canot de sauvetage bien arrimé et couvert d'une bâche occupait les lieux – piètre compagnie pour qui quête un renseignement. Je suis repartie en sens inverse, ai ouvert par mégarde la porte des cuisines, d'où s'échappait un vacarme ahurissant et des odeurs fort peu ragoûtantes puis, après avoir bien tourné et viré, j'ai fini par trouver une espèce d'échelle de métal peinte en blanc, au sommet de laquelle se découpait un carré de jour. J'ai commencé à l'escalader et, comme je me hissais sur la dernière marche, un tourbillon de taffetas violine m'a bousculée : j'ai failli dégringoler tout en bas, au risque de me rompre le cou. Je crois bien qu'un juron m'a échappé. C'est la faute du laitier, tu comprends : je suis toujours à la boutique quand il vient faire ses livraisons, et il possède un répertoire fascinant d'insultes et d'imprécations. Qu'y puis-je, moi, si j'ai une bonne mémoire ?

Eh bien, tu me croiras si tu le veux, mais le tourbillon violacé abritait une femme, qui m'a répondu par la plus belle bordée d'injures que j'aie jamais entendue. Sous son chapeau surchargé de fanfreluches, son visage courroucé était, lui, cramoisi. Je te laisse imaginer l'harmonie des couleurs ! C'était horrible. Puis, soudain, elle a porté sa main à sa bouche et elle est devenue toute pâle. Elle m'a dévisagée avec de grands yeux. Un peu gênée moi-même, je n'ai rien dit. Il y a eu un silence fort embarrassant.

Enfin, elle a tourné les talons et s'est éloignée, courant presque. Je l'ai vite perdue de vue au milieu de la foule qui envahissait le pont-promenade (car j'avais fini par le trouver !). Luigi a surgi de derrière un bossoir et m'a pris la main.

– Où étais-tu ? On te cherche partout !

Un mugissement grave a retenti.

– La sirène, a crié mon frère. Nous allons lever l'ancre. Viens vite !

Nous nous sommes faufilés entre les groupes de passagers, jusqu'à ce que je repère l'ombrelle neuve de maman, qui oscillait comme le dôme d'un palanquin chargé sur un éléphant emballé (« Dieu du ciel, mon enfant, où allez-vous chercher ces comparaisons excentriques ? » disait toujours Miss Jones, mon institutrice). De tous côtés, on entendait des cris, des appels :

– À bientôt !

– N'oublie pas d'écrire !

– Couvre-toi, surtout le soir...

– Dis à Katia que je lui enverrai l'argent du voyage dès que possible...

Des mains s'agitaient, des bras se levaient, une femme pleurait, le nez dans son mouchoir. Des enfants couraient en tous sens, sautaient, jetaient en l'air leur béret de marin.

Accoudée au bastingage, j'ai scruté le quai : là aussi,

on envoyait des signes d'adieu et des baisers, on secouait des mouchoirs qui flottaient au-dessus des têtes comme les ailes d'une troupe de mouettes affairées et bruyantes. Avec lenteur, le *Carpathia* s'écartait du quai.

– Marée haute, a remarqué oncle Alfredo. Le courant est fort.

La haute cheminée a craché un nuage de fumée noire. Peu à peu, la terre s'est éloignée, les visages des badauds massés sur le quai se sont brouillés. Certains se sont éloignés aussitôt, le dos voûté, les mains enfoncées dans les poches ; d'autres sont restés là, immobiles. Suivraient-ils le bateau du regard jusqu'à ce qu'il disparaisse ? S'étaient-ils séparés, ce matin, d'un être cher – un parent, un enfant, une épouse ? J'entendais encore les sanglots de la passagère ; je me suis retournée, une femme plus âgée l'avait prise par l'épaule et tentait de la réconforter. Qui avait-elle laissé à terre ?

C'était une pensée triste, mais mon impatience a bientôt repris le dessus. Luigi sur mes talons, je me suis précipitée de l'autre côté du bateau. La terre, nous l'avions assez vue ! J'ai arraché ma capeline et laissé le vent jouer dans mes cheveux. Devant nous, les remorqueurs paraissaient minuscules. Où puisaient-ils une telle force ? Le paquebot semblait immense, en comparaison – un géant débonnaire et docile. De courtes vagues d'un vert translucide se brisaient sur ses flancs. Des oiseaux de toute taille planaient dans le sillage du navire.

– Ils attendent les bons morceaux qu'on leur jettera des cuisines, a dit Luigi.

Il souriait. Lui aussi semblait ébloui, un peu ivre. Nous avons échangé un regard de complicité.

– Tu n'as pas faim ?

– Si !

Courant comme deux enfants, nous avons rejoint les autres. Mais la salle à manger nous a déçus : longue et étroite, ne prenant l'air et la lumière que par de simples écoutilles, elle ne ressemblait pas à ce que j'avais imaginé. J'avais cru que le spectacle sans cesse renouvelé de l'océan serait toujours sous nos yeux, même pendant les repas !

– Bien sûr, notre palace flottant n'a rien de commun avec le *Titanic*, a commenté oncle Alfredo en prenant place à table.

– Il nous convient parfaitement, a répliqué tante Adriana. Et j'ai une faim de loup !

– C'est l'air marin, a dit maman.

Tout le monde semblait de très bonne humeur.

– Vous n'imaginez pas le luxe de ce paquebot, a insisté oncle Alfredo alors qu'un serveur s'approchait de notre table avec une soupière fumante. La salle à manger est de style jacobite...

– Alfredo collectionne les articles sur le *Titanic*, a chuchoté tante Adriana en se penchant vers maman. Il est très ferré sur le sujet !

– ... L'un des murs est entièrement recouvert d'une tapisserie d'Aubusson, représentant la chasse du duc de Guise, continuait mon oncle, imperturbable. Le restaurant, lui, est de style Louis XVI... le fameux « rose du Barry », cher à Adriana, y domine ! Et le grand salon est, paraît-il, une réplique du château de Versailles !

– Tout le château de Versailles ? a demandé Luigi, taquin. Saperlipopette !

– Tais-toi donc, blanc-bec !

Papa est intervenu :

– Le plus important, à bord d'un navire, c'est la sécurité. J'ai lu que le *Titanic* serait pratiquement insubmersible... est-ce vrai ?

– Absolument ! Son système de navigation est à l'avant-garde de la technique : installation téléphonique ultramoderne, émetteur radio de grande puissance, appareil de détection des corps immergés... de plus, il est doté d'un double fond qui lui permet de résister à un échouage et même à un éperonnage. Sa coque est divisée en seize compartiments étanches, dont les cloisons peuvent être fermées, depuis la passerelle, par commande électrique. Le *Titanic* peut résister à l'envahissement de trois ou quatre de ces compartiments étanches... autant dire qu'il est incoulable ! Croyez-moi, ses passagers n'ont pas de souci à se faire !

Je l'écoutais d'une oreille distraite : à une table voisine, j'avais repéré une tache mauve. C'était la passagère qui m'avait si violemment bousculée dans l'escalier du pont-promenade. Assise en compagnie de deux dames d'âge respectable, elle semblait s'ennuyer. Son regard errait dans la salle. Soudain, elle m'a aperçue. Elle a froncé les sourcils et s'est détournée aussitôt.

– Que regardes-tu ? m'a demandé tante Adriana.

– Rien, ai-je répondu en reportant mon attention sur mon assiette, où le serveur venait de déposer une portion de ragoût d'agneau aux petits légumes. (Heureusement, la nourriture était meilleure que les odeurs échappées de la cuisine ne le laissaient supposer !)

– Il est très incorrect de dévisager les autres passagers, Julia, a commencé maman d'un ton sévère.

– Laisse-la, a dit papa. Tout est nouveau pour elle ! C'est une aventure !

Furtivement, j'ai jeté un dernier coup d'œil vers la femme à la robe violette. Elle lampait son verre de vin ; son cou palpitait. Et j'ai vu que tante Adriana la regardait, elle aussi...

12 avril

Le vent a forci. Un long sillage d'écume, semblable à la traîne de dentelle d'une mariée, s'étend derrière le *Carpathia*, à perte de vue. Les vibrations du navire sont plus fortes. J'ai remarqué ce matin, en me levant, que le plancher de ma cabine était légèrement incliné. Mais personne ne semble souffrir du mal de mer, et toutes les tables, à l'heure des repas, sont occupées. Hier soir, la Dame en Mauve, comme je l'appelle désormais, a fait dans la salle à manger une entrée très remarquée : elle arborait une coûteuse toilette de satin lilas et un médaillon entouré de diamants qui étincelaient à chacun de ses mouvements. Elle a pris place à une table où dînaient un couple et plusieurs messieurs seuls.

Bientôt, nous avons entendu sa voix aiguë, qui dominait toutes les autres. Elle pérorait, ne s'interrompant que pour faire honneur au contenu d'une carafe de vin placée devant elle.

– Drôle de personnage, a murmuré oncle Alfredo. Avec des bijoux pareils, pourquoi ne voyage-t-elle pas en première ? Cette robe aurait mieux convenu pour dîner à la table du commandant !

– Peut-être ces pierres sont-elles les seuls vestiges d'une fortune passée, a suggéré maman. Cette femme doit être veuve depuis quelque temps déjà : elle porte le demi-deuil, avec un peu d'ostentation, j'en conviens...

Adriana a observé un long moment la passagère, les yeux plissés, puis elle s'est tournée vers moi et m'a souri d'un air complice. Autour de nous, les conversations avaient repris.

– J'ai l'impression, a-t-elle chuchoté, que toi et moi avons deviné que cette... dame n'est pas ce qu'elle s'efforce de paraître.

J'ai hoché la tête.

– Elle est bizarre, tu ne trouves pas ? Hier, elle m'a bousculée dans l'escalier qui mène au pont-promenade...

Je lui ai raconté l'incident, omettant soigneusement de signaler que, moi aussi, je m'étais laissée aller à quelques écarts de langage. Tante Adriana m'a écoutée avec attention.

– Ça ne m'étonne pas, a-t-elle dit enfin.

Elle s'est tue, le temps de couper un morceau de viande particulièrement coriace.

– Tu sais, a-t-elle repris, mon métier de modiste m'a appris beaucoup de choses sur mes contemporains. À la coupe des vêtements, à l'état d'usure des chaussures de mes clientes, je peux deviner si elles sont dans la gêne ou si ma facture sera honorée dans les huit jours. J'ai eu d'ailleurs de désagréables surprises, soit dit en passant. Il y a des gens très riches qui se font tirer l'oreille pour payer... et qui parfois, même, ne paient pas du tout ! Mais je sais voir si une robe a été retournée ou reteinte, et aussi... si elle a été faite pour celle qui la porte.

Ma curiosité était éveillée.

– Que veux-tu dire ? ai-je demandé.

– Regarde-la bien. Cette robe n'a pas été cousue à ses mesures, je l'ai remarqué tout de suite. Elle est un peu trop large aux épaules, et une couturière maladroite ou pressée l'a reprise à la taille par quelques pinces hâtives... je les vois d'ici. Ce n'est pas du travail soigné.

– Elle a pu maigrir, ai-je objecté.

– Oui, évidemment. Mais, en revanche, il est rare que l'on maigrisse des pieds, et ses chaussures sont, elles aussi, trop grandes pour elle... Elle a trébuché, tout à l'heure, et ne s'est rattrapée que de justesse.

J'ai regardé ma tante avec admiration.

– Tu es un véritable détective !

– Ce n'est pas tout, a-t-elle soufflé. Si tu le peux, tu observeras ses mains.

Je commençais à m'amuser.

– Ses mains ? Aurait-elle des pattes de lion, des tentacules ou des griffes de sorcière ? ai-je plaisanté.

– Mais non, bécasse. Simplement, les mains, elles aussi, en disent long sur l'origine sociale d'une personne et le métier qu'elle exerce. Les doigts de votre Irlandaise, par exemple, sont tout usés et fripés par les lessives. Les ongles d'un mécanicien, même s'il les brosse dix fois par jour, retiendront toujours un peu de cambouis. La poussière de charbon s'incruste dans la peau des mineurs. Et les miennes...

Elle a posé sa main à plat sur la nappe, paume en l'air.

– Tu vois le bout de mes doigts ? Criblés de piqûres d'aiguille. N'importe qui d'un peu observateur devinerait que je suis modiste ou couturière. Or, tout à l'heure, quand ta mystérieuse passagère est passée à côté de notre table, elle était en train d'ôter son gant droit. Et j'ai vu...

Tante Adriana s'est interrompue : une serveuse en tablier blanc amidonné apportait des assiettes de gelée aux fruits. J'ai regardé avec dégoût la masse tremblotante couleur de menthe qui oscillait juste sous mon nez avant de décider que mon repas était fini.

– ... j'ai vu que ses extrémités, comme les miennes, portaient la trace de l'aiguille, continuait ma tante. Ou bien cette femme est une maniaque du tambour à broder, ou bien elle n'est pas la riche oisive qu'elle veut paraître, a-t-elle conclu, l'air triomphant.

Maman, qui avait suivi notre échange avec amusement, s'est penchée vers nous.

– Et ce n'est pas tout ! Vous avez vu comment elle se tient à table ? Je vous garantis qu'elle n'a pas pris ces manières-là à la Maison-Blanche !

J'ai fait mine de laisser tomber ma serviette. Comme je me baissais pour la ramasser, j'en ai profité pour dévisager de nouveau l'objet de nos commérages. J'étais intriguée. Qui était vraiment la Dame en Mauve ? Une aventurière ? Une espionne ? Je me suis fait la promesse d'en avoir le cœur net. Comment allais-je m'y prendre ? Je n'en avais aucune idée. J'ai commencé à échafauder les plans les plus romanesques, tant et si bien que je n'ai même pas protesté quand maman m'a envoyée me coucher.

Julia Facchini, détective ! Une nouvelle vocation !

13 avril

Voilà deux jours que nous avons quitté New York, et il me semble avoir toujours vécu en mer. Le matin, je me lève très tôt, bien avant les autres, je m'habille vite et je monte sur le pont. À cette heure-là, les passagers sont encore tous dans leurs cabines et je ne croise que des marins et des stewards, qui me saluent en souriant, presque comme si j'étais l'une des leurs. Je m'accoude au bastingage et je regarde la mer... Les longs voiles de brume couleur de perle se lèvent un à un, prélude à un spectacle magnifique. Je découvre un monde nouveau, avec ses bruits, ses odeurs, ses rites. Hier, un vieux matelot s'est arrêté près de moi : il avait le visage noirci et luisant de sueur, et j'ai pensé aux remarques de ma tante sur les métiers qui marquent si durement les hommes...

– Fait chaud en bas, dans les soutes, a-t-il dit en ôtant sa casquette et en s'épongeant le front. Ces chaudières, c'est l'enfer sur terre, ou plutôt sur l'eau !

Il s'est tourné vers moi : ses yeux bleus riaient.

– Quand je ne suis pas de quart, je monte respirer. Et puis tout ça...

D'un geste circulaire, il semblait vouloir embrasser l'horizon.

– ... on ne s'en lasse pas. Vous aimez la mer, ma petite demoiselle ?

– Oh, oui ! ai-je répondu avec élan. Nous sommes enfermés sur ce bateau, et pourtant, je me sens libre comme je ne l'ai jamais été !

– C'est bien ça, a-t-il approuvé.

– Si j'étais un garçon, je m'embarquerais.

Il a eu un sourire en coin.

– Mais vous êtes une fille, et ça ne vous plaît pas beaucoup, hein ?

– Comment l'avez-vous deviné ?

Il s'est raclé la gorge avec bruit.

– Vous êtes matinale, vous regardez droit, vous n'avez pas peur d'éclabousser vos bottines, et... votre robe est boutonnée de travers.

– Oh !

J'ai senti mes joues s'empourprer, tandis que je cherchais à tâtons, dans mon dos, la boutonnière fautive.

– C'est pas grave. Y a personne pour vous voir. Arrêtez de vous tortiller. Regardez plutôt.

La brume s'était levée, et les premiers rayons du soleil éclairaient l'étendue grise sans limites, qui se teintait de vert par places, comme si un disque de jade avait glissé entre deux eaux. La houle était lente, régulière : un peu d'écume bouillonnait à la crête des vagues, puis se dissolvait avec un imperceptible soupir.

– C'est beau, ai-je murmuré, la gorge serrée.

– Ce qui est beau, surtout, c'est que ça change tout le temps. Y a pas deux mers pareilles... Moi, j'en ai vu de toutes les couleurs, je peux vous le dire. Des violettes, si foncées qu'on aurait dit du vin pur, au large de la Grèce ; des vertes comme une pelouse anglaise ; des vagues qui brillaient comme de l'argent en fusion... des mers couleur de perle, d'huître, ou roses comme une joue de jeune fille...

Je l'écoutais, captivée. Soudain, le son d'un violon est monté vers nous.

– C'est l'Irlandais, a dit mon compagnon. Vous ne l'avez pas encore entendu ?

J'ai fait non de la tête.

– Tous les matins, qu'il joue. Tout seul sur le pont des troisièmes... je crois que ce gars-là aussi est amoureux de la mer. Et peut-être aussi qu'il regrette son pays...

Il a remis sa casquette, touché la visière du bout des doigts et s'est éloigné d'une démarche chaloupée.

J'ai tendu l'oreille. Cette musique ne ressemblait à rien de ce que j'avais déjà entendu. Il est vrai que je ne connais pas grand-chose : les hymnes que nous chantons à l'église, quelques chansons apprises à l'école, des airs de fanfare, et c'est tout. Certaines d'entre nous étudiaient le piano : mais les sons qui s'échappaient de la salle de musique où officiait, trois fois par semaine, la vieille Mrs. Griffith, n'avaient rien pour charmer nos oreilles.

Là, c'était... différent. Le violoniste invisible a attaqué les premières mesures d'une polka, et je commençais déjà à marquer du pied la cadence quand son archet a semblé glisser sur une distance vertigineuse : et une mélodie lente et triste s'est élevée dans le silence du matin. En l'écoutant, j'ai eu l'impression de parcourir des miles et des miles ; j'ai survolé les vagues, passé de hautes chaînes de montagnes, glissé dans des vallées sombres et encaissées ; j'ai rasé l'herbe de la plaine, tournoyé à la pointe des toits, galopé avec les chevaux sauvages, rampé dans les sous-bois, pris les armes avec des troupes d'hommes au cœur libre et fier. Je ne connaissais pas la terre dont parlait cette musique, ni son histoire, mais je la devinais, et une violente nostalgie m'a serré le cœur quand l'instrument s'est tu. Connaîtrai-je un jour l'Irlande ? Irai-je dans tous les pays que je rêve de découvrir ? Je ne veux pas passer toute mon existence dans la même rue, je ne veux pas être comme toutes ces femmes qui jour après jour lavent, repassent, cuisinent, élèvent leurs enfants, puis se tassent, vieillissent et meurent, oubliées, avec la seule satisfaction d'avoir « fait leur devoir ». Est-ce que l'on n'a pas aussi des devoirs envers soi-même ?

3 h de l'après-midi

Mon enquête piétine. Grâce à Luigi, qui s'est déjà fait des amis parmi les stewards, j'ai appris le nom de la Dame en Mauve, mais cela ne m'avance pas à grand-chose. Son billet a été établi au nom de Mrs. Phoebe Harrison, de Grayling, Michigan. Le Michigan ! C'est tellement loin de New York que cette partie des États-Unis me fait l'effet d'un pays étranger.

Or, comment apprendre quoi que ce soit sur une personne qui vit en Suède ou en Bosnie-Herzégovine ? Autant chercher une aiguille dans une meule de foin... Résignée, ou presque, à ne jamais en savoir davantage, j'ai quand même fait part de ma découverte à tante Adriana. À ma grande surprise, elle s'est écriée :

– Grayling ! Comme c'est drôle !

– Drôle ? ai-je répété, sans comprendre. Pourquoi ?

– Une de mes plus vieilles amies s'est installée là-bas. Elle tient un restaurant… Valeria cuisinait merveilleusement bien. Si tu avais goûté son osso-buco…

J'ai coupé court à ses souvenirs gastronomiques :

– Tu connais son adresse ?

– Oui, bien sûr ! Nous n'avons jamais cessé de nous écrire.

Je tenais mon idée !

– Tantine, ai-je dit d'un ton câlin, tu pourrais lui envoyer un message, par radio… comme ça, nous serions fixées.

Elle m'a regardée comme si j'étais subitement atteinte de démence.

– Tu es folle ! Ça coûte horriblement cher ! Je lui écrirai dès notre arrivée en Italie.

Elle m'a caressé les cheveux avec un sourire indulgent.

– J'ai eu tort d'encourager ta curiosité, Julia. Tu es tout feu tout flamme ! Mais il faut être raisonnable, ma chérie.

Sur ces paroles, elle s'est éloignée en riant, me laissant en proie à une colère subite.

« Il faut être raisonnable ! » Je n'entendrai donc jamais que cela ! Et si, moi, je ne veux pas être raisonnable ?

14 avril, 9 h du matin

Ce matin, au lieu d'arpenter le pont, j'ai entrepris d'explorer le navire. J'avais bien sûr mon idée : trouver le moyen d'envoyer un message à l'amie de ma tante. Dans mon porte-monnaie, il restait quelques dollars... et, bien notée dans un coin de ma mémoire, une adresse incomplète : Mrs. Valeria Bronstein, à Grayling. J'avais quand même réussi à apprendre le nom de l'aubergiste italienne !

– Pourquoi ton amie s'est-elle installée dans ce trou perdu ? avais-je demandé à tante Adriana d'un air dégagé, alors qu'elle entamait une part de tarte aux pommes couverte de crème fouettée.

– Tu es bien une New-Yorkaise, Julia ! Passé l'Hudson, la civilisation disparaît, c'est bien ça ?

J'avais ri.

– Non, bien sûr. Je me demandais... c'est tout.

– Valeria a épousé un certain Jimmy Bronstein. Il tenait un petit commerce dans le New Jersey, mais ses affaires ont périclité. Aussi, quand il a hérité de cette auberge dans le Michigan, n'a-t-il pas hésité : ils sont partis, avec armes, bagages et leurs cinq enfants.

Elle a commencé à me parler de cette nombreuse

marmaille – elle n'arrivait pas à se souvenir de leurs noms : « Maria-Pia ? Giovanni ? Ou tout simplement Johnny ? Et... est-ce Vittorio ou Agostino ? Je confonds avec le fils de... » mais je ne l'écoutais plus. Un nom, une ville ? Cela devait suffire. Grayling, dans le Michigan, n'était pas une cité si importante. Mrs. Bronstein devait y être connue de tous – surtout si sa cuisine était aussi délicieuse que ma tante le prétendait.

J'ai donc décidé de me lancer. Tout d'abord, je me suis perdue, comme le premier jour. Après avoir suivi une longue coursive aux murs peints en gris, je suis arrivée au sommet d'un petit escalier qui s'enfonçait dans les entrailles du navire. Je savais bien que je n'allais pas dans la bonne direction mais, par curiosité, j'ai descendu cette échelle, puis une autre, puis encore une autre... Sous mes pieds, je sentais des vibrations de plus en plus fortes, et un grondement montait des profondeurs obscures, telle la plainte d'un monstre enchaîné dans une caverne. Allais-je le voir apparaître devant moi, avec ses yeux de feu et sa peau écailleuse tout incrustée de pierres précieuses, ses ailes de chauve-souris géante et ses griffes acérées ?

Soudain, une porte métallique s'est ouverte et une bouffée d'air brûlant m'a bâillonnée. Le souffle du dragon ! J'ai reculé d'un pas.

– Tiens, c'est vous, mademoiselle !

C'était mon ami, le soutier aux yeux bleus.

– C'est gentil de nous rendre une petite visite...

Il m'a fait un clin d'œil.

– Les passagers n'ont pas le droit de descendre mais, si vous voulez, je vais vous montrer la salle des machines.

À sa suite, j'ai passé la porte basse et nous avons débouché sur une petite plate-forme. Plus bas, des hommes s'agitaient en tous sens dans un vacarme infernal et un énorme nuage de vapeur. La chaleur était suffocante.

– La température peut atteindre soixante degrés, a crié mon compagnon, et même plus en été ! Il y a des hommes qui ne supportent pas : il faut être sacrément costaud, croyez-moi, pour nettoyer les foyers et enfourner quatre tonnes de charbon par jour ! On ne compte plus les « coups de chaleur »... parfois mortels.

Il a tendu le bras devant lui.

– Là-bas, c'est la salle des turbines. Je ne peux pas vous y emmener, et c'est bien dommage ! Vous verriez ça : un arbre d'hélice qui tourne si régulièrement qu'on le croirait immobile... c'est beau, il n'y a pas à dire.

Un vrai poète ! Il semblait sincèrement désolé que je ne puisse admirer ce spectacle.

Ayant pris congé de mon aimable guide, je suis remontée vers le pont des premières. Là aussi, je m'aventurais en territoire interdit : les passagers des différentes classes, à bord des paquebots, ne se mélangent pas. Chacun dans sa « carrée », les riches entre eux, les autres avec... les autres. Mais personne, sans doute, ne ferait attention à moi. Pour une fois, il me serait utile de n'être qu'une gamine sans importance ! Devant une haute glace fixée au mur, je me suis arrêtée une minute pour vérifier ma tenue. Ma robe n'était pas boutonnée de travers, mes bas ne plissaient pas sur mes chevilles, j'avais fermé tous les crochets de mes bottines. Bon, ça pourrait aller. J'ai lissé mes cheveux et jeté un regard autour de moi.

Je me trouvais dans une sorte de hall lambrissé d'acajou. D'épais tapis recouvraient le sol, et un large escalier s'envolait vers les cabines de première classe. Ici, les vibrations du navire semblaient atténuées ; l'air sentait l'encaustique et le pain grillé, mais personne n'était en vue.

Où pouvait bien se trouver le bureau de l'opérateur radio ? Logiquement, il ne devait pas être très loin de la passerelle, afin que les messages destinés au capitaine puissent lui être remis le plus vite possible.

Assez fière de ma déduction, j'ai monté l'escalier quatre à quatre, traversé un grand salon, puis un plus petit, tous deux déserts. Pas une âme non plus sur le pont-promenade : les canots de sauvetage, bordés dans leur grosse toile huilée, avaient l'air de dormir.

– Que faites-vous là ?

J'ai sursauté. Me retournant, je me suis trouvée nez à nez avec un grand jeune homme brun, dont les cheveux étaient soigneusement peignés de chaque côté d'une raie bien tracée. Il portait une vareuse d'officier.

– Je vous ai fait peur, a-t-il repris. Pardon, jeune fille. Dites-moi...

Son regard pétillait.

– Seriez-vous une passagère clandestine ? Je ne vous ai encore jamais vue.

J'ai repris tout mon aplomb pour lui lancer :

– Vous tombez bien ! Je voudrais envoyer un message. Par radio. Je cherche...

– Vous m'avez trouvé, alors.

Il m'a tendu la main.

– Harold Cottam. Je suis l'opérateur radio de ce navire. Je retournais justement à mon poste...

Tout à coup, je ne savais plus que dire. Il a dû

deviner mon embarras, car il a continué, avec beaucoup de gentillesse :

– Venez avec moi. Je vais vous faire les honneurs de ma luxueuse installation. Mais... chut ! Je n'ai pas plus le droit que vous d'être là, si je ne me trompe.

Il m'a entraînée vers une espèce de placard exigu, éclairé par un minuscule hublot. La peinture blanche des murs s'écaillait ; une petite table, sur laquelle s'empilaient des feuilles de papier couvertes de traits et de points, occupait presque tout l'espace. Dans un coin se trouvait une couchette, à demi dissimulée derrière un rideau.

– Voilà ! a-t-il dit en accrochant sa casquette à une patère. Vous voyez, je suis logé comme un prince !

Il a coiffé une sorte de casque métallique et commencé à tourner les boutons de l'étrange appareil noir posé devant lui ; j'ai entendu un grésillement.

– Toute la sainte journée, j'entends des armées de cafards se battre dans cette machine. Ça n'arrête jamais ! La nuit, ils continuent de me poursuivre... Alors, ce message ? Je parie qu'il s'agit d'une question de vie ou de mort !

J'ai failli approuver puis, remarquant la petite lueur d'ironie qui dansait dans ses yeux, je me suis ravisée.

– Non, pas de vie ou de mort. C'est juste... en fait, vous comprenez, je mène une enquête.

Il a éclaté de rire.

– Une enquête ? Je suis donc en présence d'un jeune détective en jupons ? Tu commences à m'intéresser. En tout cas, tu ne manques pas d'aplomb. Allez, raconte.

Je lui ai tout déballé : la Dame en Mauve, tante Adriana, nos soupçons, l'aubergiste de Grayling... Quand je me suis tue, à bout de souffle, il m'a demandé simplement :

– Tu avais préparé le texte de ton message, je suppose. Montre-le-moi.

Le cœur battant d'espoir, j'ai tiré de ma poche une feuille de papier pliée en quatre, sur laquelle j'avais écrit : « Prière m'envoyer d'urgence renseignements sur Mrs. Phoebe Harrison, Grayling. Âge, apparence physique, situation de famille et de fortune. Actuellement en voyage ? T'expliquerai, tendresses, Adriana. »

Harold Cottam a lu et relu le texte, puis il a replié le morceau de papier et me l'a rendu. Il ne riait plus.

– Est-ce que tu te rends compte que c'est grave, ce que tu essaies de faire ?

J'ai tressailli. Il a continué :

– Ça s'appelle une atteinte à la vie privée. Car enfin... comment t'appelles-tu, au fait ?

J'ai répondu d'une toute petite voix (j'avais un peu honte) :

– Julia. Julia Facchini.

– Julia, tu n'es pas détective. Ta tante non plus. Vous n'avez aucun droit d'ouvrir une enquête sur quelqu'un que vous ne connaissez pas, juste parce que ses manières vous ont déplu…

– Il ne s'agit pas de ça ! Tante Adriana…

– Ta tante est sûrement une fine observatrice. Mais ce n'est pas une raison pour suspecter une passagère de… de quoi, au fait ?

Il m'a dévisagée, pensif.

– D'ailleurs… est-ce que ta tante est au courant de ce message ?

J'ai fixé la pointe de mes bottines.

– Eh bien…

– Non. Je l'aurais parié. Écoute, Julia… Nous sommes en mer et, pour quelqu'un qui a de l'imagination… et je pense que tu n'en es pas dépourvue…

Il montrait, par le hublot, la mince bande d'un bleu dense qui enserrait l'horizon.

– … il est tentant de s'inventer toutes sortes d'aventures. Mais une traversée de l'Atlantique, ça n'a rien à voir avec un roman. La plupart du temps, il ne se passe rien de plus excitant que la perte d'un étui à lunettes ou la découverte d'un chargement de pommes de terre avariées. Pas d'escroc de haut vol, pas de meurtre à bord, pas de naufrage. La routine, je te dis. Alors, oublie tout ça et profite de ton voyage.

À cet instant, la porte s'est ouverte.

– Dites-moi, Cottam...

L'homme qui venait d'entrer était grand et mince. Ses traits étaient marqués, ses joues creuses, mais les yeux, sous les épais sourcils, avaient une expression de bonté.

– Oh, pardon. Je ne savais pas que vous aviez de la compagnie.

Il m'a souri.

– Une nouvelle élève, Cottam ? Vous êtes incorrigible.

– Les jeunes gens sont avides d'apprendre, mon commandant, a rétorqué le jeune homme avec bonne humeur. Et moi j'adore expliquer à quoi servent les boutons que je manipule.

– Je vois. Et à part ça ? Du neuf ?

– Pas grand-chose, mon commandant. Si ce n'est quelques messages nous signalant la présence d'icebergs entre le 40e et le 42e parallèle.

– Normal à cette période de l'année et dans ces parages. Les conditions météo sont bonnes, il n'y a pas de brume. La température de l'eau sera relevée toutes les heures : cette précaution nous évitera une mauvaise surprise... Faites afficher quand même ces messages sur la passerelle.

– Bien, mon commandant.

– Cette nuit, nous observerons la procédure habituelle. Lumières occultées sur le pont avant, et ainsi de suite. La vigie sera priée de ne pas s'endormir. Mais nous faisons route trop au sud pour rencontrer de la glace, en principe. Enfin, on n'est jamais trop prudent. Vous, Cottam, renvoyez cette jeune personne dans ses foyers et ouvrez vos deux oreilles.

Sur un signe amical, il est sorti.

– C'est le capitaine ? ai-je demandé.

– Oui. Le commandant Rostron. Un type épatant. Il navigue depuis l'âge de treize ans. Tu sais comment ses hommes le surnomment ? L'« étincelle électrique » ! Il déborde d'énergie. En même temps, je ne connais personne de plus organisé. Il est capable de faire face à n'importe quelle situation.

Harold Cottam s'est levé et m'a raccompagnée à la porte.

– C'est l'heure du petit déjeuner. Retourne vite chez toi... et rappelle-toi : arrête de jouer les détectives !

J'ai hoché la tête, peu convaincue.

– Merci, ai-je murmuré.

– De rien. J'ai une sœur de ton âge, alors j'ai l'habitude. Et reviens me voir quand tu veux. Je t'apprendrai à lire le morse. D'accord ?

– D'accord.

Sur le pont, l'air était doux, presque chaud. Un frisson m'a parcouru l'échine. Les icebergs... allaient-ils surgir de nulle part, tels de grands fantômes blancs ? J'ai regardé la mer, tranquille comme un lac. Il était difficile de s'imaginer que des montagnes de glace dérivaient à quelques milles de là. Et pourtant...

14 avril, 10 h du soir

Cet après-midi, il a fait si beau que certains passagers ont dû tirer leurs transats à l'ombre. C'est le Gulf Stream, paraît-il, un courant chaud. Vers l'heure du thé, car ici on adopte les coutumes anglaises, on se serait cru en plein été ! Comme c'est dimanche, les jeux de cartes sont interdits : tout le monde se croit obligé de déambuler mains dans les poches. Le capitaine a organisé une sorte de service religieux dans le salon des secondes. Nous y avons assisté, puis nous avons déjeuné, et ensuite maman m'a expédiée dans ma cabine faire la sieste. Je n'avais pas envie de dormir, ni de lire ; à vrai dire, je me sentais d'assez mauvaise humeur. Faute de pouvoir envoyer mon message radio, mon enquête était tombée à l'eau, si je puis dire. Le détective Julia se retrouvait sans emploi. Et j'ai toujours détesté les dimanches, le repos forcé et les robes qui me serrent le cou.

Je suis trop maussade ce soir pour être d'une compagnie agréable, et ma plume peine sur le papier. Je vais me coucher, cela vaudra mieux. Je viens de regarder par le hublot : la nuit est claire, le ciel étincelle d'étoiles, la mer est plate comme le dessus d'une table. Serais-je fatiguée déjà de ce spectacle ? Je me suis mise à bâiller. Rien ne peut arriver, par une nuit pareille. De toute façon, rien de passionnant ne m'arrive jamais.

15 avril, 2 h du matin

En relisant les lignes écrites avant de me coucher, je pourrais sourire, si la situation n'était aussi dramatique. Il fait encore nuit noire : mon crayon bien serré entre mes doigts engourdis, je suis postée sur le pont, à côté d'un canot de sauvetage. Un matelot est venu tout à l'heure le découvrir et le faire basculer sur ses bossoirs. Il ne m'a pas vue : tant mieux, il m'aurait ordonné de rentrer dans ma cabine, et je ne veux pas bouger d'ici pour l'instant.

Drôle d'endroit pour attendre l'aube... Le *Carpathia* est-il en péril ? Non, pas du tout. Au contraire, il...

Mais n'allons pas trop vite.

Hier soir, je me suis endormie la tête sur l'oreiller. À bord, tout était sombre et silencieux. Les machines ronronnaient doucement. J'ai glissé dans un sommeil sans rêves, aussi noir et insondable que les abîmes sous-marins qui s'ouvraient sous la coque. La dernière chose à laquelle j'ai pensé, je m'en souviens très bien, se rapportait à une conversation entendue sur le pont, dans la journée : un passager, un Français, soutenait que les poissons des grandes profondeurs étaient dépourvus d'yeux, n'en ayant pas l'usage puisque la lumière ne pénètre jamais jusqu'à eux...

– Des bateliers qui pêchaient sur le lac de Sylans, près de Nantua, en ont ramené dans leurs filets à la suite d'un violent orage : on aurait dit des créatures préhistoriques. Or chacun sait que ce lac n'a jamais pu être sondé jusqu'au fond.

– Peut-être même n'en a-t-il pas ! a pouffé l'une de ses filles, une grande asperge blonde d'une vingtaine d'années.

– En ce cas, nos représentations de l'enfer demandent à être révisées, a-t-il conclu sans s'émouvoir.

À quoi pouvaient bien ressembler ces poissons aveugles ? Je ne le saurai sans doute jamais...

Quand je me suis réveillée, il était un peu plus de minuit et j'avais l'impression que toute une famille de rats était en train de s'affairer au-dessus de ma tête. Je me suis assise sur ma couchette et j'ai tendu l'oreille. Il faisait très froid et, sur la tablette au-dessus du lavabo, mon verre tintait dans son support, avec la régularité d'un balancier d'horloge.

Peu à peu, j'ai pris conscience que le bruit des machines était bien plus fort que lorsque je m'étais couchée. Et les rongeurs n'étaient pour rien dans le remue-ménage qui avait troublé mon sommeil : j'entendais des pas, des grincements étouffés et même des voix. Quelqu'un donnait des ordres, et il était obéi avec promptitude.

J'avais laissé mes vêtements pêle-mêle sur une chaise, il ne m'a donc fallu qu'une ou deux minutes pour m'habiller. Comme le froid était de plus en plus vif, j'ai enfilé mon manteau et noué une écharpe autour de mon cou, puis j'ai entrouvert la porte de ma cabine.

Surprise ! Trois femmes de chambre s'éloignaient, les bras chargés de couvertures, et un arôme familier me chatouillait le nez : celui du café fraîchement moulu.

Décidément, quelque chose ne tournait pas rond... mais quoi ? Je me suis glissée à leur suite dans le couloir.

Arrivée sur le pont, j'ai dû aussitôt rebrousser chemin : un quartier-maître refoulait les curieux.

– Il n'y a plus d'eau chaude au robinet ! se plaignait une femme d'une voix aiguë.

– Nous avons besoin de toute la puissance de nos machines, a répondu le marin. L'alimentation en eau chaude a été coupée volontairement. Le chauffage aussi. Retournez vous coucher, madame, s'il vous plaît. Pas de passagers sur le pont. Ordre du commandant.

– Pourquoi fait-il si froid tout à coup ? s'est enquis un homme qui avait passé une simple veste sur son pyjama, et grelottait.

– Nous marchons plein nord, monsieur.

– Mais enfin, que se passe-t-il ?

– Un accident.

– Nous allons couler ?

– Absolument pas. Le commandant Rostron se porte au secours d'un autre bâtiment.

J'en savais assez : j'ai fait demi-tour. Dès que j'ai été hors de vue, je me suis mise à courir.

Cottam ! L'opérateur radio ! Je savais où le trouver. Lui m'en dirait davantage... si je savais m'y prendre.

La porte de la loge était grande ouverte. Prudemment, je suis restée dans l'ombre de la coursive. Assis devant la radio, le casque sur la tête, Harold Cottam manipulait ses boutons, sourcils froncés. J'ai remarqué qu'il était pieds nus.

– Je ne comprends pas..., a-t-il marmonné. Ils n'envoient plus le même signal... c'est... S... O... S... maudite bécane ! Avec une portée de cent cinquante milles, comment veut-on que je... ?

À pas de loup, je me suis approchée. Mon ombre, passant dans le halo jaune diffusé par l'unique ampoule électrique, a alerté l'opérateur. Il s'est retourné et m'a fixée, les yeux écarquillés. Pourtant, il ne semblait pas très surpris de me découvrir là. Son trouble avait une autre cause.

– C'est le nouveau signal, a-t-il soufflé. S.O.S. Il remplace le C.Q.D.

– Le C.Q.D. ?

– Le signal de détresse. Une convention internationale l'a récemment remplacé par S.O.S., plus facile à émettre et à comprendre par des opérateurs éloignés, à cause de sa simplicité : trois traits, trois points, trois traits... mais il n'avait jamais encore été utilisé, je crois.

Du revers de la main, il a essuyé son front en sueur.

– Quelle nuit !

Je me suis blottie contre la paroi, dans l'espoir de tenir le moins de place possible. Il ne m'avait pas renvoyée tout de suite, c'était déjà ça.

– Qui a envoyé ce signal ? ai-je demandé timidement.

Il a poussé un profond soupir.

– Je n'arrive pas à y croire moi-même... c'est le *Titanic*. Il est en train de couler...

15 avril, 2 h 20 du matin

Je suis toujours sur le pont. Quelques passagers m'ont rejointe : comme moi, ils s'efforcent de passer inaperçus et de ne pas gêner l'équipage. Personne ne parle. Les hommes ont le visage grave et tendu ; une femme prie à voix basse, égrenant l'une après l'autre les dizaines de son chapelet.

Nous marchons à une vitesse de dix-sept nœuds. Qui aurait cru que le *Carpathia* pouvait aller aussi vite ? Le capitaine a posté des vigies supplémentaires à l'avant, avec mission de le prévenir s'ils aperçoivent des glaces à la dérive, ou le moindre signe du *Titanic*. Tout paraît tranquille – trop tranquille : la mer est plate comme un lac, les étoiles brillent avec intensité dans le ciel noir. Il fait de plus en plus froid. Comment imaginer que, à quelques milles d'ici, un navire aussi énorme soit en perdition ? Autour de moi, tout à l'heure, on s'interrogeait à voix basse : une avarie ? Le *Titanic* aurait-il été éperonné par un autre bateau ? S'est-il échoué sur les bancs de Terre-Neuve ? Personne n'est parvenu à trouver une explication satisfaisante. Certains pensaient même à une mauvaise farce. D'autres cherchaient à se rassurer en lançant des plaisanteries :

– Quand nous arriverons, ils auront réparé leur voie d'eau, a dit un petit monsieur drapé dans une robe de chambre écarlate. J'espère au moins qu'ils nous inviteront à prendre le petit déjeuner à leur bord ! Une occasion inespérée de visiter ce palais flottant !

– Combien de temps nous faudra-t-il pour arriver jusqu'à eux ? s'interrogeait un autre passager.

– J'ai entendu le chef steward parler de 4 h, a répondu une jeune femme qui claquait des dents et secouait ses mains gantées de mitaines, où venait l'onglée.

– Alors, ils ne risquent rien. Avec ses compartiments

étanches, le *Titanic* peut flotter indéfiniment. Mais, s'il faut le remorquer, on va exploser les chaudières !

Peu à peu, les commentaires ont cessé. Nous scrutons la mer, dans l'espoir d'apercevoir un feu à l'horizon. Par instants, je crois voir une lueur verdâtre surgir, puis s'évanouir aussitôt. Je me demande si Harold Cottam a pris le temps d'enfiler sa veste – quand le premier appel de détresse lui est parvenu, il était en train de se déshabiller : en bras de chemise, les écouteurs encore sur les oreilles, il enlevait ses chaussettes. Une minute de plus, et il se serait couché après avoir éteint son appareil.

C'est donc pieds nus qu'il a fait irruption dans la cabine du commandant Rostron ! Celui-ci sommeillait. Il a sauté immédiatement à bas de sa couchette et a donné l'ordre de virer plein nord. Le *Carpathia* était à ce moment-là le bateau le plus proche du géant blessé – cinquante-huit milles. Le *Mount Temple*, à cinquante milles, était bloqué par les glaces. L'*Olympic*, le sister-ship du *Titanic*, arrivait de toute la vitesse de ses machines, mais il se trouvait beaucoup plus loin : cinq cents milles. Le *Frankfurt*, un navire allemand, faisait route lui aussi vers la dernière position donnée par le paquebot de la White Star. Ces deux derniers bâtiments ne pourraient être sur place avant le milieu de la matinée, en mettant les choses au mieux.

– Dites-leur que nous arrivons immédiatement, a lancé le capitaine avant de courir à la chambre des cartes pour calculer la route à suivre.

Je suis restée avec l'officier radio jusqu'à 2 h du matin. C'est alors que je suis montée sur le pont : le *Titanic* n'émettait plus. À 1 h 06, Harold Cottam a capté un message destiné à l'*Olympic* : « Préparez vos canots de sauvetage. Nous coulons de l'avant. » Quelques minutes plus tard, autre message : « Nous coulons rapidement de l'avant. » À 1 h 35 : « La chambre des machines est sous l'eau. »

– Alors, ils en ont pour moins d'une heure, a grommelé le radio. Ce n'est pas possible !

Enfin, à 1 h 50, dernier contact radio : « Arrivez aussi vite que vous pouvez. Chaudières presque noyées. »

C'était fini. Le *Titanic* s'était tu.

Arriverons-nous à temps ?

15 avril, 2 h 30 du matin

C'est le branle-bas de combat : une activité de fourmilière règne à bord du *Carpathia*. Il faut que tout soit prêt pour accueillir les naufragés. Le commandant Rostron, avec le sang-froid d'un chef d'armée, a donné des ordres très détaillés, et chacun s'est vu attribuer une tâche précise – même certains passagers. C'est ainsi que maman et tante Adriana se sont chargées de collecter des vêtements chauds. D'autres dames prêtent main-forte aux femmes de chambre et aux stewards pour apporter dans les salons des couvertures, ainsi que du café, du thé et du potage, que les cuisiniers préparent par marmites entières. Les trois médecins inscrits sur la liste du bord ont été réquisitionnés : le médecin anglais s'est installé dans la salle à manger de première classe, le médecin italien dans la salle à manger de deuxième classe, le médecin hongrois en troisième. Tous ont réclamé des assistants : Luigi et papa en font partie. Pour l'instant, ils apportent de l'infirmerie, jugée trop petite, toutes sortes de médicaments, de fortifiants, des bandages, des attelles et de la charpie. Mon oncle, je ne sais comment, a été enrôlé par le commissaire de bord : il aura pour tâche de recueillir, dès que possible, les noms et les prénoms de tous les survivants afin qu'ils puissent être transmis aussitôt par radio à Cape Race.

– Ma cabine ainsi que toutes celles des officiers doivent être libérées, a exigé le capitaine. Les fumoirs et bibliothèques utilisés pour loger les survivants, ainsi que toutes les couchettes disponibles dans l'entrepont... nos propres passagers d'entrepont seront regroupés. Un steward et le capitaine d'armes veilleront à ce qu'ils ne gênent pas l'accès au pont. À tous, j'intime la nécessité de l'ordre, de la discipline et du calme pour éviter toute confusion... des questions, messieurs ?

Je me tenais alors près de Harold Cottam, qui était remonté sur le pont après que l'*Olympic* lui eut confirmé que son sistership avait cessé d'émettre.

– Quand commencerons-nous à tirer les fusées ? a-t-il demandé.

– À 2 h 45 puis, ensuite, tous les quarts d'heure, pour rassurer les passagers du *Titanic*. Il faut qu'ils sachent que nous arrivons.

Il a tourné les talons et s'est éloigné vers la passerelle.

– J'espère que nous avons pensé à tout. Préparez et mettez en surplomb tous les canots ! Ouvrez les portes des coupées ! Madame, je vous en prie, ce n'est pas le moment...

Une femme s'agrippait à son bras. Je l'ai aussitôt reconnue : la Dame en Mauve ! Les épaules enveloppées d'un plaid, elle relevait d'une main l'ourlet de sa robe de chambre lilas, trop longue – encore un vêtement qui ne lui allait pas.

– Monsieur, c'est très important...

– Quoi donc ? a-t-il interrogé, visiblement agacé.

– On me dit que nous avons dévié de notre route... Monsieur, je dois absolument aller à Gibraltar... des affaires de famille...

Il l'a dévisagée.

– Vos affaires de famille attendront, madame, a-t-il répondu avec une certaine rudesse. Il s'agit cette nuit de la vie de centaines d'êtres humains.

Il s'est éloigné à grands pas, continuant de distribuer ses ordres aux hommes d'équipage.

Je m'étais reculée pour laisser le champ libre à deux matelots qui installaient un projecteur près de l'une des coupées et l'expression du visage de la passagère m'a frappée. Elle se tordait les mains et semblait en proie à une angoisse extrême. Je l'ai entendue murmurer :

– Ce n'est pas possible... il ne fera pas ça... Ce serait ma mort, oui, ma mort !

Involontairement, j'ai fait un pas vers elle. Comme prise en faute, elle a sursauté, puis m'a foudroyée du regard.

– Qu'est-ce que tu fais là, petite fouineuse ? a-t-elle sifflé.

Autour de nous, les marins s'activaient, accrochaient aux coupées des poulies équipées de cordes vagabondes, des sièges pour hisser les malades et les blessés, des sellettes et des échelles de gabier. Un jeune mousse est passé en courant, les bras encombrés de plusieurs sacs de grosse toile.

– Je les mets où ? a-t-il crié.

– Ici ! lui a lancé un officier. C'est pour remonter les enfants...

– Pauvres p'tiots, a commenté le jeune garçon en déposant son fardeau. Y doivent mourir de peur.

Il est reparti sans nous prêter attention. La femme s'est penchée à me frôler, les traits crispés. Sa voix était basse, précipitée, haineuse.

– J'te vois toujours à me lorgner...

Elle s'est reprise.

– Tu m'espionnes. J'aime pas ça. Les espions, tu sais ce que j'en fais, moi ?

Avant que j'aie eu le temps de réagir, elle m'avait saisie aux épaules et entraînée vers le bastingage. En dessous, l'eau sombre filait en bouillonnant.

– Ils sont tous trop occupés pour faire attention à une gamine qui passerait par-dessus bord. Alors prends bien garde à toi. Tu entends ?

Incapable d'articuler une parole, j'ai fait oui de la tête.

– C'est bien, a-t-elle ricané. Je vois que tu es raisonnable.

Elle m'a lâchée.

– N'oublie pas. Prends bien garde à toi, a-t-elle répété. Et mêle-toi de tes affaires, à l'avenir. Tu ne t'en porteras pas plus mal.

Le souffle coupé, je me suis laissée glisser sur le pont. J'avais l'impression d'émerger d'un cauchemar. Mais je ne rêvais pas : cette femme m'avait bel et bien menacée ! Elle était prête à me tuer !

– Ne reste pas là, petite.

Une femme de chambre s'était arrêtée devant moi : elle portait un plateau chargé de bols. Elle m'a souri.

– Tu vas attraper la mort, et m'est avis qu'on aura assez de gens à soigner aujourd'hui ! Viens plutôt avec moi, on a besoin d'aide dans la salle à manger des secondes.

Je me suis relevée et je l'ai suivie, les jambes flageolantes. Plusieurs fois, je me suis surprise à lancer derrière moi de furtifs coups d'œil. J'avais peur. Cette femme me faisait l'effet d'une sorcière.

Pas de doute, il faut absolument que j'envoie ce message radio à l'amie de ma tante... Mais quand ?

Harold Cottam me croira-t-il, quand je lui raconterai ce qui vient de m'arriver ? J'ai moi-même peine à le croire...

15 avril, 3 h du matin

Il y a vingt minutes – je venais juste de déposer sur une table un plat de sandwiches au jambon – nous avons entendu un cri :

– C'est lui ! Je le vois ! Il flotte encore !

Nous nous sommes tous précipités vers les hublots, mais l'obscurité était dense et il était très difficile de distinguer quelque chose. Ramassant mon manteau, que j'avais quitté pour être plus à l'aise, je suis sortie en courant.

– Julia ! a appelé maman. Reste ici !

J'ai fait comme si je n'avais pas entendu. Pour une fois ! Une nuit comme celle-ci a ceci de bon que maman, d'ici demain, aura sûrement oublié ma désobéissance.

Sur le pont, les hommes se tenaient prêts, à leur poste. J'ai reconnu mon ami le chauffeur, en pyjama rayé, un chandail tricoté jeté sur les épaules, le visage noir comme celui d'un ramoneur.

– J'étais pas de quart, m'a-t-il expliqué, mais j'ai quand même sauté du lit pour aller aider les camarades. Même pas eu le temps de m'habiller ! Vous auriez vu tous les gars en train de se démener comme des possédés ! C'était quelque chose ! J'crois qu'on a battu notre record, cette nuit. Vous sentez comme le vieux rafiot vibre ? Il est aussi excité que nous, ma parole !

Il a tendu le bras vers l'horizon.

– Là-bas. Regardez. Ce feu, c'est le *Titanic*.

J'ai écarquillé les yeux et je l'ai vue : une lueur verte, très nette.

– Alors nous y serons bientôt ? ai-je interrogé, la gorge serrée.

– Pas si vite. Il est loin. Il n'y a pas de houle, c'est ça qui vous trompe, ma petite demoiselle. Mais pour qu'on les voie aussi bien à cette distance, il faut que ses feux soient très au-dessus de l'eau.

Il a rejeté sa casquette en arrière.

– Peut-être qu'on arrivera avant qu'il ait coulé.

À cet instant, un nouveau cri s'est élevé à la proue du bateau :

– Iceberg deux quarts à bâbord !

Les deux mains crispées sur le bastingage, je me suis penchée autant que j'ai pu. Une autre lueur brillait sur la mer mais, cette fois, il ne s'agissait pas des feux d'un navire : c'était la lumière froide des étoiles se reflétant sur la glace. Ce qui semblait tout d'abord n'être qu'un petit caillou a grandi, grandi, jusqu'à prendre les proportions d'un château fort – un château d'une beauté irréelle et inquiétante, habité par des esprits malfaisants.

– Iceberg droit devant ! a encore crié l'une des vigies.

Son appel a aussitôt été repris à ma droite :

– Iceberg un quart à tribord !

– Damnation ! s'est exclamé un garçon de cabine. Nous allons être obligés de ralentir !

Le chauffeur s'est retourné, piqué au vif.

– Tu ne connais pas le commandant, mon gars ! Il ne renoncera pas comme ça ! Je sais de quoi il est capable, moi : j'ai navigué avec lui à bord du *Pennonia* et du *Brescia*. Jamais un mot plus haut que l'autre, mais c'est un sacré type !

Comme pour appuyer ses paroles, il a craché dans l'eau : un long jet de salive brunâtre.

– On y sera les premiers – moi, je vous le dis...

De tous côtés, les icebergs surgissaient de la nuit, tels des spectres drapés dans leurs linceuls. Le bateau louvoyait pour les éviter, mais le régime des machines ne baissait pas – bien au contraire : on aurait dit que le *Carpathia* n'avait pas encore donné sa pleine puissance. Les cris des vigies s'élevaient avec régularité. Je retenais mon souffle : jusqu'à quand réussirions-nous à naviguer dans cet océan de glace ? Une collision n'était-elle pas inévitable ? Pourtant les hommes, sur le pont, semblaient pleins de confiance. Plusieurs stewards, désœuvrés maintenant que tout était prêt dans les salles à manger et les salons, étaient venus là comme au spectacle. J'entendais les éclats de leurs voix, leurs encouragements bruyants. En voyant une montagne de glace défiler tout près du bord, l'un d'eux a claironné :

– Hé, les gars, vous avez vu l'ours polaire qui se gratte ?

Et tous ont éclaté de rire.

15 avril, 3 h 35 du matin

On ne voit plus les feux du *Titanic*. C'est le *Carpathia* qui lance des fusées à présent ; une tous les quarts d'heure, comme l'a demandé le capitaine Rostron. Les rires se sont tus, car la navigation au milieu des icebergs devient de plus en plus difficile : la plupart des hommes d'équipage ont d'ailleurs regagné leur poste.

– Pourquoi restes-tu là ? Tu devrais redescendre dans ta cabine, ou rejoindre ta mère dans la salle à manger, m'a suggéré Harold Cottam il y a quelques minutes. Tes lèvres sont toutes bleues de froid.

J'ai fait non de la tête, sans répondre. En fait, je sais très bien pourquoi je reste sur le pont, mais je ne suis pas sûre de pouvoir l'expliquer à un étranger. Je sais que certaines personnes, sans se réjouir pour autant du malheur des autres, adorent assister à une catastrophe ou en entendre le récit. Cette curiosité morbide une fois satisfaite, ils peuvent profiter sans arrière-pensée du confort et de la sécurité de leur salon bien chauffé – ou tout simplement se réjouir d'être en vie alors que d'autres souffrent. Les scandales, les meurtres et les tremblements de terre donnent du piment à leur existence. Je trouve cela répugnant ! Et je serais mortifiée si l'on pouvait croire que j'obéis au même désir de me repaître du malheur d'autrui. Non, ce n'est pas cela. C'est... comment l'exprimer ? J'ai l'impression que, cette nuit, je suis plus vivante. Comme si j'avais été jusqu'à aujourd'hui entourée d'un cocon qui craque de toutes parts. Quoi qu'il arrive, je ne serai plus jamais la même – plus jamais. Et je ne veux pas perdre un seul instant de cette métamorphose. Je peux bien l'avouer ici, puisque nul autre que moi ne jettera jamais un œil sur ces pages.

☾

– Iceberg ! Droit devant !

Le cri de la vigie m'a fait sursauter, et j'ai lâché mon crayon. Le temps que je le ramasse, tâtonnant à l'aveuglette sur les planches du pont, le bateau avait effectué une brutale abattée et le bruit constant des machines avait cessé.

Le choc a été évité de justesse.

– Nous sommes tout près de la dernière position donnée par le *Titanic*, a dit Harold. Je ne comprends pas... on devrait le voir.

L'aube commence à pointer. À perte de vue, la mer est parsemée d'icebergs ; certains ressemblent à des gnomes accroupis, d'autres, gigantesques, étincellent dans les premiers rayons du soleil. Je n'ai jamais rien vu d'aussi beau. À l'ouest, on distingue une fine ligne blanche.

– La banquise, me souffle Luigi qui s'est approché de moi silencieusement.

Je retiens mon souffle. La banquise ! Nous sommes donc au bout du monde !

Le vent s'est levé, âpre, mordant. Les vagues clapotent contre l'étrave du *Carpathia*.

Et tout à coup...

Cela ressemble à un rêve. Au milieu de cette immensité glacée, on entend les pleurs d'un bébé. Le vagissement est faible, mais distinct.

Luigi se cramponne à mon bras.

– Là-bas, laisse-t-il échapper d'une voix étranglée. Un canot !

Je ne vois rien. La mer se creuse de plus en plus.

– Tu as de la bouillie dans les yeux ou quoi ? s'énerve mon frère.

Enfin je l'aperçois, sur la crête d'une vague : un petit canot lourdement chargé.

– Pourquoi sont-ils tous habillés en blanc ? lâche une femme avec un petit rire nerveux.

– Ce sont les ceintures de sauvetage, répond un matelot sans détourner les yeux.

– Comme ils sont pâles !

La frêle embarcation se rapproche. On distingue nettement, sur le bordage, l'emblème de la White Star.

– Dieu tout-puissant ! soupire un passager.

– Nous n'avons qu'un seul matelot, et du mal à manœuvrer ! crie une voix.

– Compris ! lui répond-on de la passerelle.

– Arrêtez vos machines !

Un mouvement se fait dans le canot – l'un des rescapés s'est levé. C'est une femme. Le vent plaque ses longues jupes contre ses jambes. Son visage est caché par ses cheveux emmêlés. À bout de nerfs, elle hurle d'une voix stridente :

– Le *Titanic* a coulé ! Avec tout le monde à bord !

15 avril, 6 h du matin

Un à un, les canots de sauvetage viennent à flanc du paquebot. La première rescapée montée à bord, il y a plus d'une heure, s'est écroulée dans les bras du commissaire Brown.

– Je m'appelle Elizabeth Allen... merci... oh, merci... nous vous attendions...

– Est-il vrai que le *Titanic* ait coulé ? lui a-t-il demandé, encore incrédule.

– Oui... vers 2 h 30. C'était atroce...

Sur ces mots, elle s'est évanouie. On l'a portée dans l'une des salles à manger, où d'autres naufragés, tremblants de froid et d'épuisement, n'ont pas tardé à la rejoindre. Ils ont tous les traits tirés et les yeux fixes ; certains sanglotent, d'autres se tordent les mains ou triturent un bouton, une manche, l'ourlet d'une veste, mais la plupart sont d'un calme étrange, comme si le terrible choc qu'ils ont subi, et la longue nuit d'angoisse passée à attendre des secours, avaient absorbé toute leur énergie. Ils n'ont même plus assez de force pour laisser éclater leur désespoir. Comme des enfants dociles, ils se laissent guider vers les infirmeries de fortune. Un bien étrange défilé, à la fois triste et grotesque : une femme ne porte que son gilet de sauvetage par-dessus sa chemise de nuit ; une autre a eu le temps de passer un manteau sur la sienne, une troisième grelotte dans sa robe du soir tachée d'eau de mer et déchirée. Quelques hommes sont en pyjama rayé, d'autres ont visiblement pris le temps de s'équiper comme pour une expédition au pôle Nord. On voit des bottes de caoutchouc et des escarpins pailletés, des serviettes-éponges et des étoles de fourrure. Un petit garçon de cinq ou six ans a été hissé dans un sac postal. À peine s'en était-il dépêtré qu'un steward lui a proposé du café.

– Non, a-t-il répondu d'une petite voix claire et décidée. Je préfère le cacao.

Malgré moi, j'ai eu envie de rire. L'homme est reparti à toutes jambes et a rapporté une tasse de chocolat fumant ! La mère du bambin l'a remercié avec effusion :

des larmes coulaient sur ses joues blêmes. Pendant ce temps, un homme affolé arpentait le pont en criant :

– Washington ! Washington !

Le garçonnet ne réagissait pas, mais sa mère a laissé échapper un petit cri :

– Oh, mon Dieu ! C'est ton père, mon chéri ! Dieu soit loué, il est sain et sauf !

Et elle s'est jetée dans les bras de son mari, riant et pleurant à la fois.

Tous n'ont pas cette chance. Chaque fois qu'une embarcation s'approche du *Carpathia*, les rescapés affluent vers les coupées ; ils appellent leurs proches ou scrutent chaque visage, à la recherche d'une personne de connaissance.

– Mon fils ! Où est mon fils ?

– Avez-vous vu ma sœur ? Elle était retournée dans sa cabine pour y prendre sa boîte à bijoux...

– Billy ! Réponds-moi ! Billy !

Une petite fille, affalée sur le pont, se plaint :

– Maman, oh, maman, je suis malade !

Une passagère du *Titanic*, sitôt embarquée, s'est retournée comme une furie et a pointé un doigt vengeur vers une autre naufragée, qui devait se trouver dans le même canot.

– Cette femme m'a marché sur le ventre ! Horrible créature !

J'ai sursauté. Sa voix hystérique me rappelait de désagréables – et trop récents – souvenirs. Prise par l'émotion du moment, j'avais presque oublié les menaces de la Dame en Mauve.

Où pouvait-elle se cacher ? J'ai balayé le pont du regard. Elle ne se trouvait pas parmi les passagères du *Carpathia* qui s'empressaient autour des rescapées, leur proposant une tasse de potage, un gilet chaud ou l'abri provisoire de leur propre cabine. J'ai poussé un soupir de soulagement. Pourtant, une sensation désagréable, diffuse, me poursuivait.

Je me suis alors retournée, et je l'ai vue.

Adossée au mât, elle ne me prêtait aucune attention et semblait indifférente au va-et-vient des hommes d'équipage. Ses yeux étaient rivés sur une très jeune femme qu'un marin soutenait. Celle-ci, qui ne devait pas avoir plus de vingt ans, était livide, avec de grands yeux et de beaux cheveux noirs défaits. Ses lèvres tremblaient.

– John... John..., répétait-elle à voix basse.

– C'est Mrs. John Astor, a dit dans mon dos la voix de tante Adriana. On ne sait pas encore si son mari a pu être sauvé... Ils ont fait embarquer en premier les femmes et les enfants, paraît-il. Beaucoup d'hommes ont péri. C'est terrible...

Mrs. John Astor ! Où avais-je déjà entendu ce nom ?

Brusquement, la mémoire m'est revenue : c'était à New York, quelques jours avant notre départ. Maman et tante Adriana m'avaient éloignée pour échanger des cancans. Ainsi elle était devant moi, la jeune femme à qui un mariage scandaleux avait procuré cette sorte de célébrité !

– Je la plains, a murmuré tante Adriana. Quelle chance est la nôtre d'être tous ensemble, et vivants !

Je lui ai pressé le bras.

– Celle-là ne la plaint pas... bien au contraire.

Dans les yeux de la Dame en Mauve, il n'y avait aucune pitié. Seulement de la haine. Et aussi une... une sorte de plaisir triomphant. Connaissait-elle Mrs. Astor ? En tout cas, elle se réjouissait de la voir souffrir...

15 avril, 9 h du matin

– Non, Julia. N'insiste pas.

Le casque sur les oreilles, Harold Cottam a tapé du poing sur la petite table couverte de feuillets éparpillés. Je l'avais rejoint à son poste pour le supplier une fois de plus d'envoyer un télégramme à l'amie de ma tante.

– Harold ! Aidez-moi, s'il vous plaît ! ai-je plaidé. Un seul message ! Il y en a pour une minute !

– Tu sais combien de messages j'ai déjà à envoyer ? Une bonne cinquantaine, et ce n'est pas fini ! Les passagers du *Titanic* veulent rassurer leur famille, c'est normal... et Cape Race ne cesse de me demander des précisions sur le naufrage. Ils voudraient déjà qu'on leur envoie une liste des disparus, comme si nous pouvions le savoir ! Tous les canots n'ont pas encore été recueillis ! Ces types qui travaillent dans les bureaux, je te jure... ils ne doutent de rien. Je voudrais bien les voir à notre place.

Il s'est frotté l'arrière du crâne et a bâillé à se décrocher la mâchoire.

– Je tombe de sommeil. Si tu veux vraiment te rendre utile, va me chercher une tasse de café. Non, une cafetière entière ! Et oublie cette histoire absurde.

J'ai protesté :

– Mais cette femme m'a menacée ! Elle voulait me faire passer par-dessus bord !

– Il y a des moments où j'en ferais bien autant, jeune mouche du coche ! Elle a voulu te faire peur, c'est tout. Crois-tu qu'il soit agréable d'être épiée en permanence par une apprentie détective, ou qui se croit telle ? File maintenant, j'ai du travail pour les trois siècles à venir.

J'ai obéi, vexée. Sous prétexte que j'ai quatorze ans, personne ne me prend au sérieux. Je suis sûre, moi, que la Dame en Mauve cache quelque chose de louche. De très louche même... Mais comment en persuader Harold ? Sans lui, je ne peux rien faire. Si j'attends d'être à terre pour envoyer ce télégramme, il sera trop tard !

Ruminant ma colère et mon impuissance, je suis remontée sur le pont. Harold attendrait longtemps son pot de café : je n'avais pas la moindre intention de me donner du mal pour lui !

Un canot lourdement chargé approchait à grands coups de rame.

– C'est le dernier, a dit quelqu'un près de moi.

Les yeux plissés, j'ai essayé de dénombrer les naufragés qui se trouvaient à bord de la petite embarcation. Plus de soixante-dix !

– Je ne comprends pas, a grommelé un homme d'équipage. Les premiers à aborder étaient à moitié vides. Ils auraient pu... que diable s'est-il passé ?

Il avait raison : à bord de l'un des canots, j'avais compté douze passagers, alors qu'une quarantaine de personnes y auraient tenu à l'aise.

– Ils ont mis à l'eau trop tôt, a continué le marin.

– Vous voulez dire que tout le monde aurait pu être sauvé ? a interrogé l'un des médecins.

L'homme a poussé un profond soupir.

– Non. De toute façon, il n'y avait pas assez de place pour tout le monde... mais comment prévoir une pareille catastrophe ? Insubmersible, insubmersible ! Ils n'avaient que ce mot à la bouche ! Oh, mon Dieu !

Sa voix s'est brisée.

– Deux anciens musiciens du *Carpathia* avaient embarqué sur ce maudit rafiot. De braves gars : Theodore Brailey, un pianiste, et Roger Bricoux, le violoniste. Ils étaient tellement contents ! « Eh bien, steward, m'ont-ils dit. Nous allons enfin voyager sur un vrai paquebot ! Nous mangerons convenablement ! » Et maintenant, ils donnent à manger aux poissons !

Il s'est détourné pour cacher son émotion.

Le canot continuait à avancer, de plus en plus lentement car une forte brise s'était levée et la mer se creusait. L'eau affleurait presque le plat-bord.

– Ils n'y arriveront pas ! s'est écrié un officier.

Pesamment, le *Carpathia* venait au vent ; le capitaine

Rostron avait dû donner l'ordre de virer dans la direction des naufragés.

– Par ici !

– Courage, les gars ! Vous y êtes presque ! Encore un effort !

Mais une soudaine bourrasque a couché le canot, aussitôt balayé par une vague, puis par une autre.

– Ils vont chavirer !

Arc-bouté sur le gouvernail, un homme en vareuse d'officier a réussi, au dernier moment, à redresser l'embarcation. Quelques secondes plus tard, elle était amarrée, en sécurité.

Le cœur serré, nous avons regardé les derniers rescapés du *Titanic* monter à bord. Car c'étaient bien les derniers ; il était impossible de se bercer plus longtemps de faux espoirs. Autour de nous, la mer était vide, à l'exception de débris flottants provenant sans doute de l'épave : des chaises longues, des morceaux de liège, des coussins, des ceintures de sauvetage...

– Maman !

Il y avait tant de détresse, et de soulagement, dans cet appel que je me suis retournée. Un garçon un peu plus âgé que moi, aux cheveux collés par l'eau de mer, sanglotait sur l'épaule d'une femme agenouillée.

– Où étais-tu ? Je t'ai cherchée partout...

– Dans le canot numéro 4...

Il s'est dégagé, l'a fixée avec des yeux implorants.

– Et papa ? Papa était avec toi... n'est-ce pas ?

– Non...

– Où est-il ?

– Je ne sais pas... je ne sais pas !

Émue, j'ai hésité à m'approcher d'eux. Il me semblait indécent de leur parler, de les déranger, mais j'avais envie de les aider. J'aurais pu être à la place de ce garçon, ressentir la même angoisse, la même douleur. Et puis, les convenances, la timidité, n'étaient plus de mise ici : il n'y avait plus d'adultes, ni d'enfants, plus de maîtres ni de domestiques, rien que des êtres humains qui avaient besoin d'un geste, d'un mot de réconfort.

Rassemblant tout mon courage, j'ai posé une main sur l'épaule de la femme agenouillée.

– Madame...

Elle a levé la tête, m'a regardée comme si j'étais un fantôme.

– Si vous voulez... vous pouvez venir vous reposer dans ma cabine. Mon frère...

J'ai souri au garçon.

– Mon frère est à peu près de la même taille que votre fils. Il pourra lui prêter des vêtements. Ma mère et ma tante trouveront sûrement quelque chose pour vous. Venez avec moi.

L'air égaré, elle a balbutié :

– Oui... merci.

Le garçon s'est levé. Il avait des yeux très bleus.

– Je m'appelle Jack, a-t-il dit. Jack Thayer.

15 avril, midi

Le scandale a éclaté juste après le service que le capitaine Rostron a fait célébrer à la mémoire des morts du *Titanic*, dans le grand salon des premières. Je n'y étais jamais entrée, mais je n'ai pas pu m'empêcher de remarquer qu'il n'était pas si luxueux que ça. À quoi bon payer un prix fou son billet de bateau ? Trois ou quatre gravures accrochées aux cloisons ne font pas une différence si remarquable ! Je me suis aussitôt reproché cette réflexion profane : nous étions là pour prier, des centaines de personnes venaient de se noyer dans l'eau glacée, et moi... quelle petite dinde je suis ! Pourtant, je pense sans cesse à tous ces pauvres gens – ceux qui ont péri cette nuit, ceux qui viennent de perdre un père, une mère, un enfant, une épouse... Mais voilà : ce qui s'est passé est trop horrible. Je n'arrive pas à me le représenter, ou bien j'ai peur d'y parvenir trop bien, et mon cerveau enregistre, à la place, toutes sortes de petits détails saugrenus. L'esprit humain est une chose vraiment curieuse...

Nous étions donc tous rassemblés, les rescapés – du moins ceux qui pouvaient se tenir debout – et les passagers du *Carpathia* ; le révérend Anderson lisait les prières pour les trépassés. À un moment, j'ai senti que quelqu'un se glissait à mes côtés. J'ai tourné la tête : c'était le garçon à qui j'avais proposé ma cabine tout à l'heure – Jack Thayer. Il était vêtu d'un pantalon et d'une veste appartenant à Luigi. Maintenant qu'ils avaient séché, on voyait que ses cheveux étaient blonds et ondulaient naturellement.

Il m'a souri avec timidité.

– Je voulais te remercier.

J'ai chuchoté, un peu gênée :

– Ce n'est rien.

Une dame placée devant nous s'est retournée et nous a lancé un coup d'œil réprobateur.

– Un peu de respect ! a-t-elle sifflé. Tenez-vous correctement, au moins !

Jack a soutenu son regard.

– Madame, a-t-il répondu d'une voix basse mais distincte, j'ai vu des centaines de gens mourir cette nuit. Certains se trouvaient tout près de moi... ils sont morts de froid et d'épuisement, a-t-il ajouté avec violence. J'ai entendu leurs cris ; c'était abominable. Mais le plus abominable a été de ne plus les entendre, car cela voulait dire qu'il ne restait aucun espoir de les sauver... un peu de respect, dites-vous ? Savez-vous seulement de quoi vous parlez ?

La dame a émis une sorte de petit cri horrifié et s'est écartée de nous, toute pâle.

– Elle n'avait pas de mauvaises intentions..., ai-je commencé, embarrassée.

Je n'ai pas pu achever ma phrase : tout le monde chantait et la puissante mélodie du psaume a couvert mes faibles arguments.

Après les prières, nous nous apprêtions à remonter sur le pont quand la porte du salon s'est ouverte avec fracas. La Dame en Mauve est entrée et s'est précipitée droit sur le capitaine. Elle était très rouge et cherchait son souffle.

– Je n'y crois pas... on me dit que vous avez donné l'ordre de retourner à New York ! C'est impossible !

– C'est tout à fait possible, madame, a rétorqué le commandant Rostron. Je n'ai pas le choix. J'ai à mon bord plus de sept cents « invités » pour le moins inattendus. Je ne vais pas les rejeter à la mer.

– Débarquez-les donc dans le port le plus proche ! s'est-elle emportée. Halifax n'est pas loin !

– En effet – je vois que vous êtes parfaitement renseignée, a-t-il poursuivi avec une politesse glaciale. Mais nous risquons de rencontrer des icebergs en chemin, et je pense que ces pauvres gens n'en ont guère envie. Ils ont eu leur compte. Quant aux Açores, je n'ai pas assez de vivres pour les atteindre.

– L'*Olympic* n'a-t-il pas proposé de prendre tous les naufragés à son bord ? a glissé un gros monsieur dont le visage poupin s'ornait d'imposantes moustaches en croc.

Il ne semblait, lui non plus, guère ravi par la décision du capitaine.

Celui-ci s'est récrié :

– Monsieur, vous n'y songez pas ! L'*Olympic* est le sistership du *Titanic*. Son aménagement intérieur est rigoureusement identique à celui du paquebot qui vient de disparaître ! Imaginez quel choc ce serait pour les naufragés ! Un véritable cauchemar ! N'ont-ils pas subi assez d'épreuves ? Et puis, nous n'allons pas leur imposer un autre transbordement en pleine mer. Le président Ismay lui-même est de mon avis...

Pendant ce rapide échange, la Dame en Mauve était restée immobile, les bras ballants ; son regard dilaté ne quittait pas le capitaine. Mais comme il faisait mine de s'écarter du petit groupe qui s'était formé autour d'elle, elle s'est jetée sur lui, au comble de la rage, et a commencé à lui marteler les épaules et la poitrine de ses poings serrés.

– Je ne veux pas aller à New York ! a-t-elle hurlé. Vous deviez m'emmener à Gibraltar ! Vous n'avez pas le droit ! J'ai payé ! Je me plaindrai... je vous briserai...

Le capitaine l'a saisie aux poignets et écartée de lui sans effort apparent.

– Vous semblez agitée, madame, a-t-il dit. Je suggère que vous alliez prendre quelque repos dans votre cabine. Et plaignez-vous à qui vous voudrez, peu m'importe. Je fais mon devoir et n'ai de comptes à rendre qu'à la compagnie qui m'emploie.

À cet instant, une femme d'une soixantaine d'années s'est approchée de moi.

– Excusez ma curiosité, mon enfant, mais qui est donc cette furie ? La connaissez-vous ? Il me semble que son visage m'est familier, mais je ne parviens pas à me rappeler où je l'ai déjà rencontrée...

C'était l'une des passagères du *Titanic*. L'une des plus chanceuses, assurément, car son mari et sa fille avaient été sauvés en même temps qu'elle. De petite taille, elle paraissait frêle, mais animée d'une énergie indomptable. Comme la plupart des rescapés, elle portait des vêtements qui ne lui appartenaient pas, un peu trop grands et trop larges pour elle.

J'ai répondu :

– Mrs. Phoebe Harrison... à ce qu'il paraît.

Elle a sursauté.

– Mrs. Harrison, dites-vous ? De Grayling ? Dans le Michigan ?

– Oui, c'est cela... enfin...

– C'est impossible, a-t-elle coupé.

Je l'ai dévisagée avec curiosité.

– Comment cela ?

– Parce que je connais très bien Mrs. Phoebe Harrison. C'est l'une de mes amies intimes. Nous étions en pension ensemble ! C'est aussi la personne la plus casanière que je connaisse ; en outre, sa santé est très fragile. Jamais elle n'aurait entrepris un tel voyage... cette femme est un imposteur !

15 avril, 11 h du soir

J'ai dû m'interrompre, le temps de subir les innombrables questions et remontrances de maman et de papa – dont l'humeur oscille entre la colère et le soulagement. Il faut dire qu'ils ont eu très peur, et moi aussi...

Mais revenons un peu en arrière. On m'a expédiée dans ma cabine avant le dîner, je suis privée de dessert comme si j'avais volé des pommes (mais Luigi vient de m'apporter trois biscuits et des confitures...), j'ai donc toute la nuit devant moi pour raconter mes aventures !

Voici ce qui s'est passé : Mrs. Drayton – l'amie de la vraie Mrs. Harrison – s'est avancée vers la Dame en Mauve. Celle-ci, dès qu'elle l'a aperçue, est devenue blême.

– Minna..., a dit lentement Mrs. Drayton. Minna... c'est vous ? Je savais bien que ce visage ne m'était pas inconnu.

– Vous... vous vous trompez, a bégayé l'autre. Je ne vous connais pas.

– Oh, mais si, a continué, implacable, la passagère du *Titanic*. Vous m'avez rencontrée bien des fois... chez votre maîtresse.

Elle s'est tournée vers le commandant Rostron.

– Capitaine, a-t-elle repris, on vient de m'apprendre que cette femme se fait passer pour une de mes vieilles amies, Mrs. Harrison. En réalité, elle s'appelle Minna. J'ignore quel est son nom de famille, mais ce que je sais, c'est qu'elle était la femme de chambre de mon amie Phoebe... jusqu'à ce qu'elle soit renvoyée, il y a quelques mois, à la suite d'un vol.

– Ce n'est pas vrai ! a crié la Dame en Mauve. Vous mentez !

– Cet incident avait beaucoup peiné Phoebe, a poursuivi son interlocutrice. Elle lui faisait toute confiance.

– Vous voyez bien qu'elle est folle ! C'est le naufrage... elle délire !

– Je n'en ai pas l'impression, a dit le capitaine après avoir jeté sur le visage de la vieille dame un coup d'œil vif et pénétrant. Continuez, madame.

– Ce médaillon que vous portez au cou...

Mrs. Drayton tendait le bras.

– Phoebe ne s'en séparait jamais. La nuit, elle le déposait sur sa table de chevet... il contient le portrait de son mari et de son fils, disparus dans une catastrophe de chemin de fer. Depuis, elle n'avait jamais quitté le deuil. Elle ne s'habillait guère qu'en violet ou en lilas. D'ailleurs, vous portez une de ses robes. Et cette bague lui appartient aussi.

Elle a jeté, accusatrice :

– Qu'avez-vous fait ? Qu'est-il arrivé à mon amie ? Au nom du Seigneur, répondez !

La Dame en Mauve, mimant toujours l'indignation et la stupeur, a regardé autour d'elle, comme pour prendre les autres passagers à témoin de l'insulte. Mais personne ne semblait disposé à prendre son parti. Elle s'est jetée alors sur moi, d'un bond de tigre. J'ai été tellement surprise que je n'ai pas eu le temps de réagir. En un éclair, elle était derrière moi : son bras enserrait ma gorge, dans une étreinte brutale qui me faisait suffoquer, et je sentais sur mon cou la morsure froide d'une lame d'acier – un couteau, sans doute, qu'elle avait tiré de sa poche ou de son corsage.

– Ne faites pas un pas, a-t-elle hurlé. Pas un pas, pas un geste ! Ou je la saigne comme un poulet !

Quelqu'un a poussé un cri d'effroi.

– Lâchez-la ! a ordonné Jack.

Elle a reculé, m'entraînant avec elle. La lame s'est enfoncée de quelques millimètres, et un filet de sang tiède a glissé dans mon cou.

– En arrière, jeune homme !

C'était la voix du commandant Rostron. Il n'avait pas perdu son calme – je me souviens m'être demandé s'il lui arrivait de le perdre ! J'étais à demi morte de peur, et en même temps je flottais loin de mon corps, détachée – comme si j'avais contemplé cette scène de l'extérieur, comme si tout cela arrivait à quelqu'un d'autre. C'était une sensation étrange.

– Voyons, a déclaré le capitaine, cela ne vous mènera à rien, madame. Relâchez immédiatement cette jeune fille et je ferai tout pour vous obtenir l'indulgence de vos juges…

Minna – puisque tel était son nom – a éclaté d'un rire dur.

– Des promesses ! Ça, vous êtes forts pour en faire, vous autres. Et puis, au moment de les tenir, bernique ! Plus personne ! J'ai plus rien à perdre… et celle-là, je rêve de l'étrangler depuis le premier jour. Tout est de sa faute ! Tout ! Maudite petite garce… elle me surveillait…

Son bras s'est crispé. J'étouffais.

– Ne croyez-vous pas qu'il vaut mieux répondre d'une accusation de vol, plutôt que de commettre un crime ? a continué le capitaine.

– Ce ne serait pas le premier ! Qu'est-ce que vous croyez ? Que je l'ai laissée vivre, cette sale vache ?

– Mon Dieu, a murmuré Mrs. Drayton.

– Des années que j'essuyais la poussière sous ses pieds… des années à obéir à ses ordres… oui, madame, bien, madame... comme madame voudra... Elle m'avait promis de ne pas m'oublier dans son testament. « Vous êtes une brave fille, Minna, qu'elle disait. Je m'occuperai de vous. Quand je ne serai plus là, vous aurez de quoi vous acheter une petite boutique, vous serez indépendante. » Merci, madame... C'est pour ça que je tenais le coup. Ces paresseuses de la haute société, elles n'ont jamais rien fait de leurs dix doigts. Même pour ramasser un livre, elle me sonnait... Alors, qu'elles souffrent à leur tour ! Ce qui est arrivé la nuit dernière, vous voulez que je vous dise ? C'est un châtiment du ciel. Parce que vous êtes pourris, tous, pourris ! Et vous paierez ! Tous ! Vos villes s'écrouleront, il ne restera plus que de la poussière ! Un océan de feu balaiera ce qui restera de vous !

Elle a approché son visage du mien.

– Tu entends ? N'oublie jamais ça... si tu vis assez longtemps pour t'en souvenir !

J'ai essayé de crier, mais je ne pouvais pas.

– Vous allez m'emmener bien gentiment à Gibraltar. En attendant, je resterai dans ma cabine avec la fille. Si vous tenez à elle... vous ne voulez pas qu'elle soit égorgée comme l'autre, n'est-ce pas ? Je l'ai pris, mon héritage ! Il fallait bien, elle avait décidé de tout donner à sa nièce. Je l'ai entendue parler avec son notaire. J'étais derrière la porte... « Et votre femme de chambre, Mrs. Harrison ? qu'il disait. Vous vouliez, je crois, lui faire un petit legs ? – Mes rentes ne sont plus ce qu'elles étaient, mon cher maître, qu'elle a répondu. Certaines de mes actions ne valent plus rien. Il faut penser à la famille avant tout. » Alors je lui ai fait son affaire. Ça n'a pas traîné.

Elle a ricané.

– Elle n'a pas bougé de chez elle... ça doit puer à des kilomètres, à présent. Vous comprenez pourquoi je ne peux pas retourner à New York ? Oui, vous comprenez. Vous n'êtes pas idiot. Vous allez faire ce que je vous demande, sinon...

Je ne saurai jamais ce que le capitaine lui aurait répondu, car à cet instant, il s'est produit deux choses.

D'abord, la sirène d'un navire tout proche a retenti, couvrant le bruit des voix. Cela n'a duré qu'une seconde ou deux, mais ce court laps de temps a été suffisant pour que la vigilance de la Dame en Mauve se relâche très légèrement.

– C'est le *Californian* ! a crié quelqu'un.

Alors, Luigi a plongé.

Je ne l'ai jamais vu jouer au rugby, mais il m'a dit ensuite que c'était probablement le plus beau plaquage de toute sa vie.

Il s'est agrippé aux jambes de la femme, qui s'est effondrée en poussant une sorte de glapissement. La lame du couteau a glissé le long de ma clavicule, m'infligeant une longue entaille, heureusement superficielle. J'ai un magnifique bandage, que je dois garder jusqu'à l'arrivée au port, et il me restera sans doute une mince cicatrice – blessure de guerre ! Nous sommes tombés pêle-mêle, dans un beau désordre de bras, de jambes et de jupons. Aussitôt, plusieurs officiers se sont jetés sur Minna, l'immobilisant avec fermeté.

– Emmenez-la dans sa cabine, a ordonné le capitaine. Et postez deux hommes devant la porte...

La Dame en Mauve se débattait et crachait des injures.

– Nous demanderons au révérend Anderson d'aller lui parler quand elle sera plus calme, a ajouté le commandant Rostron. Il faudra aussi que je l'interroge.

Il s'est penché vers moi.

– Comment allez-vous, jeune fille ?

Comment j'allais ? Je n'en avais aucune idée : j'étais bien trop choquée pour me poser la question.

– Oh, mais c'est votre élève, Cottam ! Occupez-vous d'elle, voulez-vous ?

Le radio m'a soulevée comme un vulgaire paquet.

– Plus tard, je lui poserai quelques questions...

– Et moi aussi !

C'était la voix de maman.

– Tu vas devoir nous expliquer, Julia, comment tu te trouves mêlée à cette sordide affaire... mon Dieu ! Tu es blessée ! Vite, un médecin ! Elle saigne ! Mais faites quelque chose !

« Sauvée... pour l'instant », ai-je eu le temps de penser avant de m'évanouir.

17 avril

Je suis toujours consignée dans ma cabine. Je n'ai le droit d'en sortir qu'à l'heure des repas. Maman m'escorte jusqu'à la salle à manger et me raccompagne sitôt ma pitance avalée. Comme une prisonnière ! Ce n'est pas juste car, moi, je n'ai commis aucun crime. J'ai eu le tort hier soir de lui en faire la remarque : un torrent de récriminations s'est aussitôt abattu sur ma pauvre tête. Je ne chercherai pas à les rapporter dans le détail : en bref, ma mère se demande quelle faute elle a pu commettre pour que le ciel lui inflige un pareil châtiment. On le devinera aisément : le châtiment, c'est moi, sa fille.

Entre mes quatre murs, je broie du noir. J'ai déjà lu tous les livres que j'avais emportés, rangé et rerangé mes vêtements, et j'envisageais, en désespoir de cause, de me mettre à la couture (quelle horreur) quand, vers 4 h, on a frappé à ma porte.

C'était Jack !

Il s'est assis sur le bord de ma couchette et m'a demandé :

– Ça ne t'ennuie pas que je reste un moment ?

J'ai secoué la tête avec véhémence.

– Je t'en prie, reste ! Si tu savais comme le temps me semble long ! Mais mes parents ont décidé que je devais méditer sur mes péchés jusqu'à l'arrivée à New York.

– Irez-vous quand même en Italie ?

– Oui. Par le prochain bateau. La Cunard remboursera les billets... je crois.

Il a toussoté.

– Je voulais te dire...

– Quoi ?

– Je t'ai trouvée très courageuse. Cette épouvantable femme... elle aurait pu te tuer, et toi, tu restais si calme !

Je lui ai alors expliqué que j'avais eu l'impression, sous la lame du couteau, d'être dédoublée – comme si je flottais au-dessus de mon corps.

Il a hoché la tête, pensif.

– Je comprends ce que tu veux dire. J'ai ressenti la même chose à certains moments... quand nous étions sur le radeau.

Il s'est alors mis à parler, à parler, sans pouvoir s'arrêter. Ses yeux étaient fixés sur le rideau qui se balançait devant le hublot, mais je pense qu'il ne le voyait pas. Il n'avait même plus conscience de ma présence : il revivait cette nuit terrible.

– Mon père était couché, et ma mère et moi-même étions sur le point d'en faire autant, quand nous avons heurté l'iceberg. Il n'y a pas eu de gros choc. J'étais debout à ce moment-là et je ne crois pas que c'était suffisant pour faire tomber quelqu'un. J'ai enfilé un pardessus et je suis monté précipitamment sur le pont, côté bâbord. Tout était calme. Je suis parti vers la poupe pour voir s'il y avait des traces de glace, mais je ne distinguais pas grand-chose... Je suis redescendu à notre cabine et mon père et ma mère m'ont accompagné sur le pont, à tribord cette fois. Mon père a bien cru voir flotter de petits morceaux de glace, mais pas le moindre iceberg. Pourtant, nous avons remarqué à ce moment-là que le bateau avait pris une légère gîte sur bâbord, qui s'accentuait peu à peu. Un steward nous a prévenus que le commandant demandait à tous les passagers de se rassembler sur le pont, avec leurs gilets de sauvetage. Simple précaution, disait-il. Nous avons alors rejoint nos chambres sur le pont C et nous nous sommes habillés rapidement, enfilant tous nos vêtements. Nous avons mis nos gilets de sauvetage et, par-dessus, nos manteaux.

Un sourire fugitif est passé sur ses lèvres.

– Tu aurais dû voir la dégaine qu'on avait... de vrais ours !

Son sourire s'est effacé. Il a regardé le bout de ses doigts et a continué d'une voix monocorde :

– Nous sommes remontés sur le pont. Les passagers circulaient par petits groupes, aucun n'avait l'air très inquiet. Les gens s'interpellaient, riaient... Dans le fumoir des premières, des joueurs de cartes étaient encore attablés. Un homme est entré, brandissant un énorme glaçon ; aussitôt l'un d'entre eux l'a interpellé : « C'est exactement ce qu'il me faut pour mon whisky ! » a-t-il clamé... Et puis, on a demandé aux femmes de se rassembler à bâbord.

Nous nous trouvions alors en haut des escaliers, sur le pont A. À ce moment-là, personne ne pensait sérieusement que le navire pourrait sombrer…

Je n'ai pu m'empêcher de l'interrompre :

– On ne vous avait pas avertis de la gravité de la situation ?

– Le capitaine Smith voulait sûrement éviter la panique. Il était question d'une simple mesure de sécurité. On allait embarquer femmes et enfants sur les canots, réparer l'avarie et tout le monde remonterait à bord au bout de quelques heures. Du moins, nous l'avons cru. C'est pour cela que les premiers canots sont descendus à moitié vides : sur la mer, tout était glacial et obscur… alors que le *Titanic* brillait encore de toutes ses lumières. Dans les salons, il faisait chaud. On s'y sentait bien plus en sécurité que sur une minuscule embarcation… je sais que ma mère n'avait pas envie, elle non plus, d'y monter… nous l'avons retrouvée un peu plus tard sur le pont B. C'est là que j'ai été séparé de mes parents.

– Comment cela ?

– Mon père et ma mère marchaient devant et je les suivais. À un moment, je les ai perdus de vue. Un attroupement s'était formé ; les passagers commençaient à comprendre qu'il fallait se hâter. Dès que j'ai pu traverser la foule, je les ai cherchés partout, mais sans succès. C'était environ une demi-heure avant le naufrage...

Il a fermé les yeux.

– C'est la dernière fois que j'ai vu mon père. La nuit dernière, j'ai revu cette scène en rêve : je le vois de dos – il se tenait toujours très droit – à côté de maman... je l'appelle, mais il ne m'entend pas. Il s'éloigne. J'essaie de le rejoindre, mais mes jambes sont lourdes comme si je portais des bottes de plomb. Les noyés me barrent la route, car ce sont bien des morts dont les corps viennent heurter le mien, des cadavres aux yeux clos, au visage gonflé, à la peau blafarde et froide... Oh, Julia, comprends-tu ? Je ne lui ai pas dit au revoir, je ne lui ai pas dit que je l'aimais, que j'étais fier d'être son fils, et maintenant il est trop tard !

Des larmes roulaient sur ses joues. Je ne savais que faire ! Je n'avais jamais vu un garçon pleurer... en plus, je le connaissais à peine ! S'il avait été une de mes anciennes camarades de classe, j'aurais pu le prendre dans mes bras et le consoler sans que nul n'y trouve à redire. « Et depuis quand accordes-tu de l'importance au qu'en-dira-t-on ? » me suis-je demandé. J'ai alors pris sa tête entre mes mains et je l'ai attirée contre moi. Il a passé ses bras autour de ma taille et a sangloté un long moment, comme un enfant qui ne parvient pas à se délivrer d'un cauchemar.

18 avril

Ma punition est levée, grâce à... Mrs. Thayer, la mère de Jack. Elle est allée trouver mes parents et a plaidé ma cause :

– La compagnie de Julia fait beaucoup de bien à mon fils, leur a-t-elle affirmé. C'est une fille charmante, elle est gaie et énergique, elle le distrait. Il est tellement malheureux !

Maman, flattée, s'est laissé attendrir et, ce matin, j'ai eu le droit de monter sur le pont. Quel bonheur de respirer à nouveau l'air marin ! J'ai fait visiter le bateau à Jack ; ensuite, nous nous sommes installés sur des transats, et il a continué son récit :

– Je pensais que mon père et ma mère avaient pris place dans un canot, a-t-il raconté. L'évacuation du navire continuait. Avec un garçon dont j'avais fait la connaissance le soir même, pendant le dîner, j'ai de nouveau gagné le pont tribord. Il s'appelait Milton C. Long, de New York. « Nous sommes restés ensemble jusqu'à la fin.

Ses yeux se sont embués, mais il s'est ressaisi et a poursuivi :

– Les canots partaient rapidement. Quelques-uns

étaient déjà hors de vue. Nous avions cru pouvoir prendre place à bord de l'un d'eux, le dernier à partir à tribord, mais une telle foule l'entourait que j'ai pensé qu'il serait imprudent de tenter d'y monter. Milton et moi sommes donc restés là un moment, près du bastingage, un peu à l'arrière de la passerelle de commandement. Autour de moi, je ne voyais que des figures inconnues, sauf un certain Mr. Linley, avec qui j'avais également discuté pendant le dîner. On lie facilement connaissance à bord des paquebots, mais ce genre de relations, en général, ne se poursuit pas à terre. Maman a l'habitude de dire que cela ne tire pas à conséquence. Je l'ai perdu de vue en quelques minutes. Un groupe de passagers de troisième classe venait de faire irruption sur le pont, guidé par un steward. On m'a dit que beaucoup s'étaient perdus dans les coursives en essayant d'atteindre les embarcations de sauvetage.

Je n'ai pu retenir un cri indigné :

– Mais c'est affreux ! Pourquoi ne les a-t-on pas aidés ?

Il a haussé les épaules.

– Il y avait trop de gens à sauver... et puis, a-t-il répété, personne ne pensait que le *Titanic* coulerait si vite ! En plus, beaucoup de passagers de troisième classe ne parlaient pas anglais. Les stewards ont dû avoir du mal à leur faire comprendre ce qui se passait.

Une dame étendue, un châle sur les genoux, dans un transat voisin de celui de Jack est intervenue :

– J'ai entendu un officier du *Titanic* évoquer ce problème... Mr. Lightholler, c'est bien cela, jeune homme ?

– Oui, madame. Il était second officier. Il a montré un courage et une efficacité remarquables.

– Eh bien – elle s'est penchée vers nous, chuchotant presque –, il a raconté que ces... gens, ces immigrants, s'étaient comportés comme de véritables bêtes sauvages. C'est bien le mot qu'il a employé. Ils se sont rués sur les portes qui isolaient les premières du reste du navire, ont molesté des hommes d'équipage... ils ont essayé de s'emparer d'un canot par la force... figurez-vous qu'on a dû les repousser en tirant en l'air des coups de semonce ! Des brutes !

Elle a hoché la tête d'un air entendu.

– On ne m'ôtera pas de l'idée que les peuples méditerranéens, les Italiens, les Slaves, et bien sûr ces Juifs qui arrivent de partout, ne sont pas civilisés comme nous. Peut-être même ne sont-ils pas tout à fait de la même espèce. Voyez-vous, j'ai lu sur ce sujet un opuscule tout à fait passionnant, où l'auteur démontrait avec beaucoup de clarté la suprématie de la race aryenne...

C'était plus que je n'en pouvais supporter. Je me suis levée.

– Viens, Jack. On s'en va.

J'étais malade de dégoût, et furieuse.

– Que se passe-t-il, Julia ? Pourquoi cours-tu ?

Jack me retenait par le bras. Je lui ai fait face.

– Et toi ? Pourquoi n'as-tu rien dit ?

Il me regardait sans comprendre.

– Elle exagère certainement, a-t-il balbutié. Mais j'ai déjà entendu ce genre de propos. Certains scientifiques pensent vraiment que...

– Alors ce sont des charlatans ou des menteurs ! ai-je rétorqué, criant presque. Je suis italienne, Jack. Regarde-toi et regarde-moi. Penses-tu vraiment que j'appartienne à une race inférieure ?

– Non, bien sûr ! Mais ce n'est pas la même chose ! D'abord, tu es américaine, et puis... et puis...

– C'est la même chose ! Cette femme... je suis sûre qu'elle va à l'église tous les dimanches et qu'elle est convaincue d'être une bonne chrétienne. Mais elle affirme quelque chose de monstrueux ! Ne le comprends-tu pas ?

Rageusement, j'ai essuyé mes joues mouillées.

– Ce n'est pas normal qu'on ait sauvé d'abord les passagers de première classe. Ce n'est pas normal que la mort des pauvres, des Italiens, des Slaves, des Juifs ait moins d'importance que la mort d'un membre de votre classe privilégiée, Jack. Et ce n'est pas normal que certains se croient destinés à dominer le monde, uniquement parce qu'ils ont les yeux bleus et les cheveux blonds.

Troublé, mon compagnon me dévisageait. Quand j'ai fait allusion à la couleur de ses cheveux, il a porté une main à sa tête. Il semblait si penaud que je n'ai pu m'empêcher de sourire.

– N'en parlons plus. Je me suis emportée... j'ai un épouvantable caractère, tu sais. Tout le monde me le dit.

– En fait, tu as raison. Je suis désolé, Julia.

Nous avons marché jusqu'à la proue. Des rescapés du *Titanic* se reposaient dans des transats. Certains, enveloppés dans trois ou quatre couvertures, dormaient : d'autres regardaient la mer. Il y avait quelque chose dans leur regard qui m'a donné la chair de poule : de la douleur, de l'épouvante – mais aussi quelque chose d'halluciné, comme s'ils étaient passés au-delà du monde connu et en gardaient des souvenirs impossibles à partager.

Les imitant, nous avons contemplé un long moment le déferlement des vagues. Jack se taisait, et je m'efforçais de respecter son silence. Puis nous avons été rejoints par un grand jeune homme qui portait sous son bras droit un carton à dessins.

– Permettez-moi de me présenter, a-t-il dit avec une drôle de petite courbette. Je m'appelle Skidmore. Je dessine pour la presse...

Il a tapoté son carton à dessins.

– J'aimerais réaliser une séquence de dessins représentant le naufrage du *Titanic*. Accepteriez-vous de m'aider ? Vous êtes jeune, vous devez avoir une bonne vue et l'esprit observateur. En outre, vos souvenirs sont récents. Si cela ne vous bouleverse pas trop, bien sûr.

Jack a haussé les sourcils.

– Des dessins... mais pourquoi ?

– D'abord, le grand public voudra savoir ce qui s'est passé ; et c'est mon métier de lui apporter les informations qu'il désire. Ensuite, il y aura sûrement une enquête pour essayer de déterminer les raisons exactes du naufrage : le moindre détail peut être utile.

– Je ne vois pas très bien à quoi cela servira, ai-je objecté. Personne n'a le pouvoir de ressusciter les morts.

– Bien sûr, jeune demoiselle, bien sûr. Mais, s'il y a eu négligence, elle doit être découverte. Pour qu'une pareille catastrophe ne se reproduise plus jamais.

Jack m'a jeté un coup d'œil qui trahissait son désarroi.

– Eh bien... j'étais justement en train de raconter à Julia...

– Alors continuez, jeune homme, continuez. Ne faites pas attention à moi.

Il s'est installé à nos côtés sur un pliant, a vivement fixé une feuille sur son carton à dessins à l'aide d'une pince et a sorti un fusain de la poche de sa veste.

– La gîte à bâbord n'avait cessé d'augmenter, a repris Jack d'une voix étouffée. Tous les canots étaient partis, mais le pont était encore brillamment éclairé et l'orchestre continuait à jouer. À ce moment-là, des passagers commençaient à sauter de la proue. Certains nageaient pour essayer de rejoindre les embarcations de sauvetage. Malheureusement, la plupart étaient trop éloignées... J'étais tenté d'en faire autant, mais j'ai eu peur d'être assommé en heurtant l'eau. Milton était de mon avis. Il pensait qu'il valait mieux attendre. Peut-être une partie du navire resterait-elle à flot ? C'était un mince espoir, mais le seul qui nous restait.

« Nous avons vite été détrompés. Quelques minutes plus tard, j'ai remarqué une corde entre les bossoirs. Une étoile brillait juste au-dessus, mais elle s'abaissait peu à peu. Je me suis dit : "Nous sommes sauvés, le *Titanic* se redresse." Mais l'instant d'après, le bateau a commencé à s'enfoncer assez vite, avec un angle d'environ trente degrés. Tout était fini, il sombrait. Il fallait faire vite : nous sommes retournés près du bastingage, non loin de la deuxième cheminée. J'ai dit au revoir à Milton, et nous avons sauté. Il a glissé le long du navire et disparu dans les ténèbres. Je ne l'ai jamais revu. J'ai eu plus de chance que lui car, en sautant, je me suis trouvé à bonne distance du navire. J'ai touché l'eau, je me suis enfoncé – la violence du choc a été telle que j'ai à peine senti le froid – et, alors que je remontais, une force m'a repoussé à l'écart du *Titanic*. Sans cela, je me serais noyé.

« Quand je me suis retrouvé à la surface, j'ai regardé autour de moi. Le navire paraissait entouré d'une lueur éblouissante et se détachait dans la nuit comme s'il était en flammes. L'eau léchait le pied de la première cheminée. À bord, une foule de gens se ruaient vers l'arrière, toujours vers l'arrière, pour rejoindre la poupe qui émergeait encore. Le vacarme et les hurlements, ponctués par les détonations et les craquements sourds des chaudières et des machines s'arrachant de leurs berceaux et se détachant de leurs socles, étaient assourdissants.

Le journaliste, à petits coups de crayon vifs et précis, esquissait la scène. Fascinée, j'ai regardé la poupe du géant des mers, surchargée de minuscules points noirs – des êtres humains en proie à la terreur.

– Soudain, le bateau a semblé se briser en deux, assez nettement sur l'avant, une partie se couchant et l'autre se dressant vers le ciel. La deuxième cheminée, qui était assez large pour que deux automobiles puissent y passer de front, a été arrachée de sa base en lançant une gerbe d'étincelles avant de tomber. J'ai cru qu'elle allait m'écraser et, de fait, elle ne m'a manqué que de huit à dix mètres. Sa chute a provoqué un tourbillon qui m'a entraîné vers le fond et j'ai dû me débattre en nageant, complètement épuisé. Je commençais à me dire que j'allais mourir, mais j'avais si froid que cela m'était égal.

« J'ai quand même réussi à remonter une fois de plus à la surface, toussant et crachant ; une grosse vague m'a roulé et, juste au moment où j'allais perdre conscience, j'ai senti sous ma main le pare-battage de liège d'un radeau de sauvetage retourné. Il y en avait deux à bord du *Titanic*, en plus des canots. Quelques hommes s'y maintenaient tant bien que mal. L'un d'eux m'a tendu la main et aidé à monter. D'autres naufragés se pressaient autour de nous et, en peu de temps, nous avons recueilli une trentaine de personnes. À ce moment-là, il ne restait plus grand-chose du *Titanic*. Ceux qui étaient encore à bord se cramponnaient les uns aux autres, en grappes, comme des essaims d'abeilles, tombant en masses, par deux ou séparément, d'une hauteur de soixante-quinze mètres, pendant que la poupe se dressait dans le ciel jusqu'à atteindre un angle de soixante-cinq ou soixante-dix degrés. Là, le navire a marqué une pause, comme s'il était suspendu au-dessus de l'eau, pendant un temps qui nous a semblé très long. Nous étions juste en dessous des trois énormes hélices. Pendant un instant, j'ai cru qu'elles allaient nous écraser. Puis le paquebot a glissé doucement dans la mer. Il n'y avait plus rien, plus rien...

Jack s'est redressé avec un long soupir, comme s'il émergeait d'un état de transe.

– Lorsque la poupe a sombré, nous avons été aspirés vers elle et, comme nous n'avions qu'une rame, nous ne pouvions pas nous éloigner. Autour de nous, des gens nageaient au milieu des débris. La mer était très calme... Bride, l'opérateur radio, était tout près de moi, agenouillé dans l'eau. Je me souviens que nous avons prié...

Il a enfoui sa tête dans ses mains. Mr. Skidmore dessinait toujours.

– Et puis la longue attente a commencé. Chaque fois que nous apercevions une autre embarcation, nous hurlions : « Ohé, du canot ! » Mais ils ne pouvaient pas distinguer nos cris parmi les autres – les appels de ceux qui se noyaient, de ceux qui suppliaient qu'on vienne les chercher et que nous ne pouvions distinguer dans l'obscurité – et nous avons fini par renoncer. Il faisait très froid et aucun de nous n'était capable de faire le moindre mouvement, l'eau nous balayant presque tout le temps.

« Vers l'aube, le vent s'est levé : le radeau tanguait et roulait. Bride, le radio, essayait de nous remonter le moral en nous répétant que le *Carpathia* serait là trois heures plus tard. Il fallait tenir. Vers 3 h 30 ou 4 h, je ne me souviens plus très bien, quelques hommes, à la poupe de notre embarcation, ont crié qu'ils apercevaient les lanternes de son mât. Je ne les voyais pas car j'étais assis avec un homme agenouillé sur ma jambe. Le second officier Lightholler, qui se trouvait parmi nous, utilisait régulièrement son sifflet. Nous avions dérivé et nous espérions être remorqués par un canot, car il était impossible de diriger le radeau, retourné et chargé comme il l'était. Enfin, deux embarcations se sont rapprochées : le canot numéro 4 et le numéro 12. Le premier a recueilli la moitié d'entre nous ; je suis monté dans le second. Je n'ai même pas remarqué que ma mère se trouvait dans le canot numéro 4, car j'étais exténué, et elle aussi : elle avait ramé toute la nuit.

Environ trois quarts d'heure plus tard, nous étions à bord du *Carpathia*... Tu connais la suite, Julia.

Jack s'est tu. Mr. Skidmore avait posé son crayon, et nous n'osions bouger. Puis mon compagnon a murmuré :

– Sais-tu... j'ai vu la mort de trop près. Je ne sais pas si je serai capable de reprendre ma vie d'avant. Tu me comprends ?

Il ne m'a pas laissé le temps de répondre.

– Non. Tu ne peux pas comprendre. Heureusement pour toi, Julia. Heureusement.

18 avril, 20 h 30

Nous entrons dans le port de New York. Je n'arrive pas à croire qu'une semaine seulement s'est écoulée depuis que j'ai quitté cette ville. J'ai l'impression, en quelques jours, d'avoir vécu plusieurs vies. Je me sens plus âgée, plus expérimentée – et aussi moins insouciante.

Jack est debout à côté de moi, nous regardons les quais noirs de monde. Une foule considérable s'est déplacée pour accueillir les rescapés du naufrage :

plusieurs milliers de personnes, sans doute. Je n'ose pas tourner la tête vers mon ami. Dans peu de temps – une heure, peut-être, guère plus – il me faudra lui dire adieu. Le reverrai-je un jour ?

Nous venons de dépasser la statue de la Liberté. Tous les drapeaux ont été mis en berne. Il pleut à verse ; autour du *Carpathia*, c'est un véritable ballet de vedettes et embarcations en tout genre : des journalistes se trouvent à bord et hurlent dans des haut-parleurs les questions les plus aberrantes :

– Avez-vous vu l'iceberg avant la collision ?

– Le *Titanic* marchait-il trop vite ?

– On nous a dit que des passagers auraient été abattus à coups de revolver, est-ce exact ?

– Le capitaine Smith s'est-il réellement suicidé pour se dérober à ses responsabilités ?

– Quel morceau jouait l'orchestre pendant que le paquebot coulait ?

Derrière moi, j'entends un rire bref : c'est Harold Cottam.

– Les charognards, grogne-t-il. Ils vont écrire n'importe quoi ! Je parie qu'ils ont déjà commencé. Le commandant a eu bien raison de leur refuser l'accès à bord.

D'un coup sec, il rabat sur ses yeux la visière ruisselante de sa casquette.

– Nous sommes presque à notre point d'amarrage, grommelle-t-il encore. Profitez de vos derniers instants de paix.

Sans un mot de plus, il tourne les talons. Je me rapproche de Jack. Il ne dit rien, mais prend ma main et la presse. J'ai les larmes aux yeux. Heureusement, l'obscurité est presque totale et personne ne peut me voir, même pas lui. Surtout pas lui !

Avec lenteur, le bateau se rapproche du quai, puis s'immobilise.

– Nous n'accostons pas ? demande une voix sur ma droite.

– Ils doivent d'abord descendre les canots du *Titanic*... ils sont suspendus le long de la coque et gêneraient la manœuvre.

Une à une, les petites embarcations marquées de l'emblème de la White Star touchent l'eau ; des éclairs de magnésium déchirent la nuit. La foule gronde, émue, avide. Jack me serre violemment le bras. Il est pâle, ses traits sont tirés.

– Regarde, souffle-t-il.

Un mouvement s'est fait dans la marée humaine qui déferle à nos pieds ; les gens s'écartent pour laisser passer des ambulances. À leur suite, un tombereau qui transporte...

– Des cercueils, gémit Jack. Oh, Julia.

Il se tourne vivement et cache son visage contre mon épaule. Comme il est plus grand que moi, il se tient courbé. Pourtant, à cet instant, je voudrais qu'il soit encore un petit garçon, pour mieux le consoler.

Je répète, un peu sottement :

– Ça va aller, Jack. Ça va aller. Tu oublieras tout ça...

Je sais que je mens, et il le sait aussi. Il se dégage et me fixe avec intensité.

– Non, Julia. Je n'oublierai jamais.

Il se penche à nouveau – et ses lèvres frôlent les miennes.

– Et toi non plus, je ne t'oublierai jamais.

18 avril, minuit

C'est fini. À 10 h ce soir, les formalités de douane expédiées, la passerelle a été mise en place, et les premiers rescapés ont commencé à descendre, dans un silence impressionnant. Puis des clameurs de joie se sont élevées : une famille voyait la fin de son angoisse... Mais bientôt les pleurs ont remplacé les cris d'allégresse. J'ai compté, le cœur lourd :

sept cent onze rescapés. Il y avait plus de deux mille personnes à bord du géant des mers...

La Dame en Mauve, tête baissée sous un chapeau à voilette, a débarqué entre deux policiers, mais l'émotion était telle que son apparition est passée inaperçue. Je parie que tous ces journalistes en quête de révélations sensationnelles n'en parleront même pas.

Jack et sa mère ont quitté le bord parmi les derniers. Avant de s'engager sur la passerelle, Mrs. Thayer a remercié mes parents de leur obligeance.

– Mon fils et moi penserons souvent à vous, a-t-elle affirmé d'un ton aimable, mais distant. Vous avez été si pleins d'attentions, si généreux. J'aimerais pouvoir vous dédommager...

J'ai vu papa se raidir.

– Nous dédommager de quoi, madame ? a-t-il questionné d'un ton plutôt rude. Nous avons fait notre devoir de chrétiens, rien de plus.

– C'est bien, c'est bien, a-t-elle approuvé en souriant vaguement.

Jack m'a serré la main.

– Au revoir, Julia, a-t-il murmuré. J'espère que nous nous reverrons.

Mais son regard fuyait le mien. Tout à coup, une phrase qu'il avait prononcée sur le bateau m'est revenue en mémoire : « On lie facilement connaissance à bord des paquebots, mais ce genre de relations, en général, ne se poursuit pas à terre... maman a l'habitude de dire que cela ne tire pas à conséquence. » Mon amitié pour Jack, elle non plus, ne tirait pas à conséquence... nous n'étions pas du même monde. Sa mère se chargerait, s'il était nécessaire, de le lui rappeler.

Me mordant les lèvres pour ne pas éclater en sanglots, j'ai regardé mon ami franchir la passerelle et prendre pied sur le quai. Là, il s'est retourné et m'a adressé un grand signe du bras. J'ai agité la main en m'efforçant de sourire.

Je savais que je le voyais pour la dernière fois.

– Sèche tes yeux...

Une main gantée me tendait un mouchoir. C'était tante Adriana, qui n'avait sans doute rien perdu de la scène.

– Merci, ai-je bredouillé.

Elle m'a caressé la joue.

– Ma pauvre chérie… tu es bien jeune, pour connaître déjà ces souffrances-là.

– Je ne sais pas de quoi tu veux parler, me suis-je insurgée en secouant rageusement la tête.

– Mais si, tu le sais. Et tu penses probablement que ce chagrin durera toute ta vie. Mais tu n'as que quatorze ans, Julia. Tu es courageuse et intelligente. Il y a tant de possibilités en toi…

D'un doigt, elle a relevé mon menton.

– Promets-moi de ne pas t'apitoyer sur toi-même. Tu es une libre citoyenne d'une nation libre… personne n'a le droit de te mépriser.

Elle a souri.

– Sais-tu ? Je devine que tu as de grandes ambitions. Peut-être dans le domaine de l'écriture…

Éberluée, je l'ai fixée.

– Comment… je n'en ai parlé à personne…

– Tu oublies que je suis observatrice ! Mais, même si je ne l'étais pas, je n'aurais eu aucune peine à deviner : tu passes ton temps à griffonner frénétiquement dans ton cahier… Je te connais bien… et je t'aiderai.

D'une main adroite, elle a rectifié ma coiffure, arrangé mon col froissé.

– Je t'aiderai si tu te bats, au lieu de pleurnicher. Si tu travailles pour devenir ce que tu crois être... ce que tu dois être. Compris ?

– C'est dur, ai-je chuchoté.

– Je sais. Mais tu y arriveras, quelque chose me le dit. Allez, viens. Tes parents nous attendent.

Passant son bras sous le mien, elle m'a entraînée vers la coupée.

Sur le quai, la foule se dispersait. Une nuit sans étoiles engloutissait la ville.

1er mai

– Julia ! Cela fait trois fois que je t'appelle ! Dépêche-toi un peu !

La voix de maman résonne dans l'étroite cage d'escalier. Nous sommes de retour à la maison, et rien n'a changé, sauf moi. Le décor familier de ma chambre me semble un peu irréel, comme si... comme si quelqu'un avait remplacé un tableau par une mauvaise photographie. Je ne parviens pas à être plus claire.

– Oui, maman, je descends dans une minute !

Autour de moi, sur ma table, sur mon lit, des journaux éparpillés : tous parlent du *Titanic*. « Nous nous précipitâmes vers l'arrière, peut-on lire dans le *Sun*. Puis ce fut la collision, et tout le monde à bord fut frappé de terreur ! » « Terrifiés par la violence du choc, les passagers affolés sortent de leur cabine et se précipitent dans le grand salon, dans un bruit épouvantable d'acier volant en éclats... » Je hausse les épaules : d'après le récit de Jack, la plupart des passagers ne s'étaient même pas aperçus que le paquebot venait de heurter un iceberg... Un numéro du *World* vieux déjà de deux semaines titre : « Le *Carpathia* refuse d'envoyer la liste des disparus ! » Je souris avec un peu de mélancolie : je pense à Harold Cottam, au café que je ne lui ai pas apporté... Comme l'opérateur radio l'avait prévu, les récits du naufrage s'enrichissent de jour en jour de détails stupéfiants et totalement invraisemblables : ainsi, un passager de seconde classe, Emilio Portaluppi, serait resté à cheval sur un morceau de glace pendant quatre heures ! Un chien terre-neuve aurait sauté du paquebot juste avant sa disparition et aurait escorté l'un des canots de sauvetage jusqu'au *Carpathia* en aboyant joyeusement... L'orchestre aurait continué de jouer jusqu'à ce que les flots étouffent le son du violon en se refermant sur le courageux musicien qui n'avait pas lâché son instrument...

– Tu devrais écrire tes souvenirs, Julia, m'a glissé tante Adriana dimanche dernier, après le déjeuner. Tu n'as cessé de prendre des notes, en mer. Je suis sûre que ton récit serait plus intéressant que toutes ces élucubrations !

J'ai fait semblant de ne pas entendre. Déçue, elle a repris sa conversation avec maman. Bien sûr, elle ne peut pas savoir que j'ai entrepris ce travail dès le lendemain de notre retour... et qu'il m'est impossible d'en parler pour l'instant. Je vois d'ici, sur mon buvard à coins de cuir, la pile de feuilles, bien nette, prête à être empaquetée et envoyée... Mais où ? Aux journaux ? Mon histoire n'a rien de sensationnel... J'ai donc relevé à la bibliothèque publique le nom et l'adresse de quelques éditeurs, et je vais faire aujourd'hui ma première tentative. Maman a justement une course à me confier. Je courrai jusqu'au bureau de poste avec mon paquet. Le papier d'emballage, les ciseaux, la ficelle, sont là, à portée de ma main... il faut que je me dépêche. Ma mère s'impatiente. Mais il me manque quelque chose de très important : un titre.

Assise devant ma table, je pianote sur le plateau de bois éraflé. Trois petits coups secs, trois plus appuyés. Trois petits coups secs, encore... Je m'interromps. Qu'est-ce que c'était, déjà ? Un signal ? Trois brèves, trois longues, trois brèves...

– Julia ! Vas-tu descendre, à la fin ? La boucherie sera fermée !

C'était sur le *Carpathia*... cette nuit-là. Dans la cabine, ou plutôt le placard, de l'opérateur radio.

« C'est le nouveau signal. S.O.S. Il remplace le C.Q.D... le signal de détresse. Trois traits, trois points, trois traits... »

Qu'a-t-il dit encore ?

« Il n'avait jamais encore été utilisé, je crois. »

Je cours à la porte.

– J'arrive, maman !

Je reviens vers la table. D'une main tremblante, je trempe ma plume dans l'encrier et je trace, sur la première page de mon manuscrit, ces mots :

S.O.S. Titanic

POUR ALLER PLUS LOIN

QUE SONT-ILS DEVENUS ?

Le *Carpathia*

Pendant la Première Guerre mondiale, le *Carpathia* continua à transporter des passagers en Méditerranée puis, en 1915, fut affecté à la ligne New York-Boston-Liverpool. Bien qu'il ait été conçu pour être converti dans le transport de troupes, il ne fut jamais utilisé comme tel.

Le 17 juillet 1918, le paquebot de la Cunard fut touché par deux torpilles tirées par un sous-marin allemand U55, à environ 220 km à l'ouest de l'îlot de Fastnet, en Irlande. Une troisième torpille devait l'atteindre une heure plus tard, au moment où les passagers finissaient de monter dans les canots de sauvetage. Cinq marins furent tués par les explosions. Le reste de l'équipage et les 57 passagers purent monter à bord du *H.M.S. Snowdrop* qui les ramena à Liverpool.

Le 9 septembre 1999, la National Underwater & Marine Agency (NUMA) annonça la découverte de l'épave du *Carpathia* par 156 m de fond, grâce à une recherche effectuée par sonar.

Le 22 septembre 2000, la NUMA disposait des premières images vidéo de l'épave. Celle-ci semble presque intacte, si l'on excepte d'énormes déchirures sur la coque provoquées par les trois torpilles et l'explosion des chaudières au moment du naufrage.

Jack Thayer

Si certains des personnages de ce livre appartiennent à la fiction, d'autres ont réellement existé ; c'est le cas du commandant Rostron, de Harold Cottam, le radio du *Carpathia*, du passager Skidmore et de Jack Thayer, rescapé du *Titanic*. Le récit que le jeune garçon fait à Julia du naufrage est en grande partie inspiré de ses souvenirs.

Après leur arrivée à New York, Jack et sa mère rejoignirent leur train privé puis leur domicile de Haverford, en Pennsylvanie.

Plus tard, après avoir obtenu son diplôme de l'université de Pennsylvanie, il entra dans une banque et épousa une jeune fille nommée Lois Cassatt qui lui donna deux fils, Edward et John.

En 1940, Jack Thayer publia une brochure racontant ses aventures sur le *Titanic*, peut-être pour exorciser les terribles souvenirs qui le hantaient toujours.

Après la disparition de son fils Edward, en service actif dans le Pacifique pendant la Seconde Guerre mondiale, il choisit de se donner la mort. C'était en 1945. Jack Thayer avait 50 ans.

UN HISTORIEN RACONTE
par Thierry Aprile

Le naufrage de l'insubmersible

Le 14 avril 1912, deux jours après avoir quitté pour son voyage inaugural le port anglais de Southampton, le *Titanic* se trouve à environ 720 km au sud-est de l'île de Terre-Neuve. À bord, 1 324 passagers et 899 hommes d'équipage se dirigent vers New York. Le navire file à une vitesse de 22 nœuds, soit 700 m à la minute. À 23 h 40, les deux veilleurs postés dans la hune du grand mât donnent l'alerte à l'officier de veille en sonnant trois coups de cloche: un iceberg sort de la brume droit devant, à environ 600 m de la coque. L'officier ordonne aussitôt de mettre la barre à bâbord, d'inverser la puissance des machines et de fermer les cloisons étanches.

Mais le *Titanic* file trop vite et vire trop lentement. L'impact, inévitable, se produit cinq minutes plus tard. La masse de glace de l'iceberg exerce une telle pression sur la coque qu'elle plie les plaques de métal et arrache les boulons sur plus de 90 m de long. L'eau s'engouffre dans le navire...

À minuit, l'opérateur radio du *Titanic* envoie un message de détresse annonçant sa position – 41° 44' de latitude nord et 50° 24' de longitude ouest – et réclame de l'aide. À 0 h 15, l'ingénieur en chef Thomas Andrews, qui a conçu le navire et se trouve à bord, vient inspecter les dégâts. Il estime que le *Titanic* ne flottera pas plus de deux heures avant de sombrer. Le capitaine Edward Smith prend alors la décision de faire évacuer le navire.

À 0 h 45, tous les passagers sont avertis par l'équipage qui leur demande de s'habiller chaudement, de mettre leurs gilets de sauvetage et de sortir. À 0 h 55 commence la descente des canots de sauvetage, qui embarquent en priorité femmes et enfants mais ne sauveront que 706 personnes au lieu des 1 178 qui auraient pu y prendre place. À 2 h du matin, le dernier des 16 canots de sauvetage s'éloigne. L'orchestre joue toujours sur le pont et 1 500 personnes environ se trouvent encore à bord.

Ils périront tous, noyés dans l'eau glacée de l'Atlantique. La proue du *Titanic* plonge et la poupe se soulève à la verticale avant de sombrer à son tour à 2 h 20. Le récit du jeune Jack Thayer, notamment, permettra de comprendre le déroulement du naufrage. L'épave du navire, qui se trouve encore par près de 3 800 m de fond, n'a été retrouvée qu'en 1985.

Le *Titanic*, qui vient de couler dans cette nuit glaciale du 14 au 15 avril, n'est pas un paquebot comme les autres. C'est le plus grand (269 m de long, 53 m de la quille à la cheminée), le plus lourd (67 000 t), le plus luxueux et le plus sûr de tous les paquebots jamais construits, l'orgueil de ses propriétaires, la compagnie White Star Line.

La course au « Ruban bleu »

À l'époque, la White Star Line est, avec la Cunard Line (propriétaire du *Carpathia*), l'une des quatre plus importantes compagnies de navigation transatlantique. Fondée au XIXe siècle par des Anglais, l'entreprise a été rachetée en 1904 par un trust américain, contrôlé par le financier J. Pierpont Morgan. La White Star Line, pour asseoir sa domination sur l'Atlantique Nord, décide de mettre en service trois superpaquebots : l'*Olympic*, le *Titanic* et le *Gigantic*, capables de transporter plus de 3 000 passagers chacun, dans des conditions de sécurité, de confort et de rapidité inédites.

L'enjeu est commercial : il faut proposer aux clients modestes des tarifs suffisamment attractifs, aux plus riches des conditions luxueuses, et à tous les voyageurs sécurité et rapidité. Une véritable compétition s'engage ainsi entre les compagnies pour obtenir le fameux « Ruban bleu », décerné au paquebot effectuant la traversée la plus rapide de l'Atlantique. Depuis 1897, c'est un paquebot allemand qui le détient. Mais en 1907, le *Mauretania*, de la Cunard Line, pulvérise tous les records précédents en effectuant la traversée en quatre jours et dix-neuf heures, à la vitesse moyenne de 27,4 nœuds.

Un géant des mers

La construction du *Titanic* commence en mars 1909, dans le plus grand chantier naval du monde, Harland & Wolff, à Belfast, en Irlande du Nord. Trois années sont nécessaires pour achever la construction du géant. Et c'est le 10 avril 1912 que le vaisseau largue les amarres. Après des arrêts à Southampton, Cherbourg et Queenstown, en Irlande, le *Titanic* prend le large pour sa première transatlantique.

Les concepteurs du navire ont voulu le rendre pratiquement insubmersible. La double coque en plaques d'acier rivetées est composée de 16 compartiments séparés par 15 cloisons étanches. Si l'un des compartiments est touché, les cloisons peuvent être fermées depuis la passerelle à l'aide d'une commande électrique ; les huit pompes mises en action offrent une capacité d'évacuation de 400 t d'eau à l'heure. Avec un tel système, deux compartiments peuvent être inondés sans que le navire soit en danger, les autres assurant sa flottabilité. Pas moins de 29 chaudières à vapeur transmettent une puissance de 46 000 ch aux hélices.

D'autres aspects du bateau ont été étudiés comme jamais auparavant : la silhouette, les couleurs, la climatisation et l'éclairage (10 000 ampoules), la protection contre l'incendie, et même un système de détection acoustique d'obstacles immergés, qui manifestement n'a pas ou a mal fonctionné... Les opérateurs radio disposent du système de transmission classique Morse, inventé en 1838, mais aussi d'un système de T.S.F. (télégraphie sans fil) inventé par l'Italien Guglielmo Marconi, permettant d'émettre et de recevoir des messages télégraphiques. Le système Morse est très fiable et tous les marins le connaissent. Depuis 1908, une commission internationale a décidé que le signal de détresse C.Q.D. serait remplacé par S.O.S., plus rapide à composer. Mais l'ancien signal restera en usage jusqu'à ce que l'opérateur radio du *Titanic* lance le premier S.O.S. émis par un bateau en perdition.

Enquête sur un naufrage

Plus tard, deux commissions d'enquête, l'une américaine, l'autre britannique, ont dénoncé le manque de canots, qui ne pouvaient accueillir l'ensemble des passagers, et tenté d'expliquer le naufrage. Elles ont révélé des défauts dans la conception du navire, notamment la trop petite taille de l'hélice et du gouvernail, qui a ralenti la manœuvre ; un manque de précaution face au danger : le capitaine n'a sans doute pas suffisamment tenu compte des messages envoyés par d'autres navires pour signaler la présence d'icebergs.

Par ailleurs, Bruce Ismay, président de la compagnie et présent à bord, a vraisemblablement incité le capitaine à augmenter la puissance des machines.

Néanmoins, la route empruntée par le *Titanic* était tout à fait conforme aux règles établies. Par mesure de sécurité, elle se trouvait même légèrement plus au sud que de coutume. Le *Titanic* a eu la malchance de se heurter à une véritable anomalie climatique. Après un hiver d'une douceur exceptionnelle, des masses de glace détachées de la banquise sont descendues plus au sud que d'habitude. Depuis la découverte de l'épave, on sait aussi que l'acier employé pour fabriquer la coque pouvait facilement casser à basse température. Toutes ces explications se résument en une seule : les responsables de la traversée ont eu trop confiance dans la fiabilité technique du navire.

Vivre libre : l'odyssée des immigrants

Pour raconter ce naufrage, l'un des plus célèbres de l'histoire de la navigation, l'auteur de *S.O.S. Titanic* a choisi de l'observer à travers le regard d'une jeune New-Yorkaise, Julia Facchini, passagère du *Carpathia*. Ce navire est arrivé le premier sur les lieux du naufrage, vers 5 h du matin. Sept heures plus tard, l'équipage du *Carpathia* a pu sauver la plupart des 706 survivants. Ils sont arrivés le 18 avril à New York.

Si les compagnies de navigation transatlantiques sont si riches et si puissantes, c'est qu'elles doivent transporter des passagers par milliers. À la fin du XIXe siècle, l'Europe est sans conteste le continent le plus riche du monde. Pourtant, malgré son extraordinaire croissance économique, elle ne peut fournir du travail à tous. Des Européens émigrent à la recherche de terres à cultiver, car la plupart viennent de régions agricoles pauvres. Certains fuient l'oppression dont ils sont victimes en raison de leur religion ou de leurs opinions politiques.

L'Amérique est leur destination principale : au nord les États-Unis et le Canada, au sud l'Argentine, le Brésil, l'Uruguay... Le trafic est aussi dense dans l'autre sens, car de nombreux Américains se rendent en Europe, pour faire du tourisme, rendre visite à leur famille restée au pays, ou bien revenir définitivement.

La grande majorité de ceux qui émigrent en Amérique arrive à New York. C'est, au début du XXe siècle, le plus grand port, ainsi que la plus peuplée et la plus industrialisée des agglomérations des États-Unis. Son premier gratte-ciel, le Flat Iron, construit en 1902, atteint 95 m de haut. En 1910, la ville compte près de 5 millions d'habitants, dont 40 % d'immigrés.

Ceux qui arrivent d'Europe découvrent depuis 1886 la statue de la Liberté, et son inscription fameuse, extraite d'un poème d'Emma Lazarus : « Donne-moi tes pauvres, tes exténués / Qui en rangs pressés aspirent à vivre libres ». Et depuis 1892, ils débarquent sur l'îlot d'Ellis Island, où ils doivent passer une visite médicale et subir une série d'interrogatoires avant de pénétrer sur le territoire des États-Unis. Entre 1892 et 1924, ils sont 22 millions à transiter par Ellis Island, dont 2 millions d'Italiens entre 1900 et 1910.

Première, deuxième et troisième classes

Julia Facchini et sa famille font partie de ces nombreux immigrants venus d'Italie, qui ont embarqué à Gênes ou à Trieste et se sont installés à New York depuis les années 1870. La société américaine est alors, comme les sociétés européennes, très inégalitaire.

Une poignée d'hommes détiennent l'essentiel de la richesse et du pouvoir. Ce sont eux qui peuvent s'offrir la première classe du *Titanic*, dont un billet coûte de 3 500 à 4 350 $ (l'équivalent aujourd'hui d'environ 50 000 €). Parmi ces passagers richissimes, Isidore Straus, fondateur du grand magasin Macy's de New York, le millionnaire Benjamin Guggenheim et l'homme d'affaires new-yorkais John Jacob Astor IV. Ce dernier a fait fortune dans l'immobilier et le commerce de fourrures. Diplômé de Harvard, il est aussi inventeur, romancier, mécène. Il a embarqué à Cherbourg en compagnie de son épouse, d'un valet, d'une femme de chambre, d'une infirmière... Sa vie privée, relatée par les journaux, fait scandale : à 46 ans, il vient de se remarier avec une jeune femme de 18 ans...

Quant aux immigrants pauvres, ils ont déboursé de 30 à 60 $ (de 345 à 690 €) pour la même traversée. Mais les première et troisième classes ne se rencontrent pas : la circulation est interdite entre les ponts.

Le rêve américain

Cette société apparaît donc très conformiste, veillant à ce que chacun reste à sa place, violente parfois (ainsi la bonne du roman qui a assassiné sa maîtresse), et même largement hostile aux immigrés, italiens et surtout slaves. Dans ces conditions, il est naturel que les Européens, une fois aux États-Unis, essaient de recréer un univers familier. Ils se regroupent par quartiers, conservent leur langue, leur religion, leurs fêtes, leurs traditions, et essaient de se marier entre eux. La mère de Julia, par exemple, est attachée à la religion catholique de façon caractéristique (les médailles, la messe, etc.).

Pourtant, la famille de Julia incarne aussi le rêve américain d'un enrichissement par le travail et l'initiative. Car cette société est démocratique, permet la critique des « barons voleurs » et l'ascension sociale. New York est aussi un creuset (*melting-pot*) qui fait peu à peu de ces gens d'origines très diverses un même peuple américain.

Brooklyn, la partie la plus peuplée de New York, reliée à Manhattan depuis 1863 par le célèbre pont suspendu, est le lieu où le commerce de la famille Facchini a pu prospérer. Les métiers de la boutique, l'épicerie, la mercerie, la mode offrent la possibilité d'accéder à une aisance certaine. La famille de Julia a une bonne irlandaise et peut même s'offrir des billets de deuxième classe. Le but du voyage est familial et sentimental, mais il prouve aussi la réussite sociale à ceux du pays.

Le *Titanic* aurait dû repartir de New York pour l'Europe le 20 avril 1912, comme le montre cette publicité de la White Star Line, la compagnie maritime qui possédait le navire.

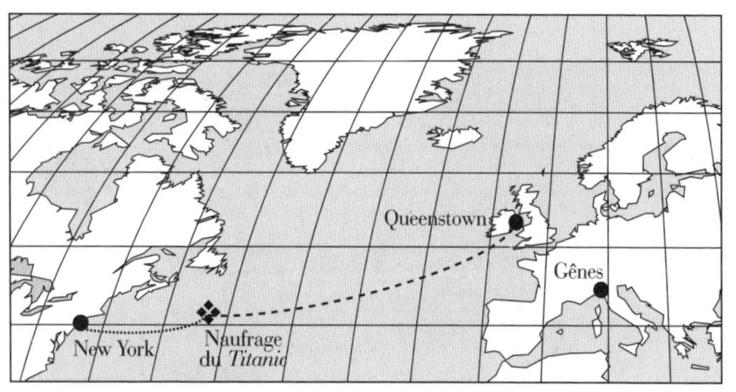

Trajet du *Titanic.*

Trajet du *Carpathia* jusqu'au lieu du naufrage.

❖ 41° 44' de latitude nord et 50° 24' de longitude ouest : le *Titanic* sombre le 15 avril 1912 à 2 h 20.

Il n'existe pas de photographie du *Titanic* en train de couler,
mais les témoignages des rescapés ont inspiré de nombreux artistes.

L'un des quatre canots pliants du *Titanic*,
photographié par un passager du *Carpathia*.

DES LIVRES ET DES FILMS

À LIRE
La Tragédie du «Titanic», par Simon Adams,
Les Yeux de la découverte, Gallimard Jeunesse

La Nuit du Titanic, par Walter Lord, J'ai lu

L'Odyssée des émigrants – Et ils peuplèrent l'Amérique,
par Nancy Green, Découvertes, Gallimard

Le Naufrage du Titan, par Morgan Robertson, éditions Corsaire
Ce roman, publié aux États-Unis en 1898 sous le titre Futility or the Wreck of the Titan, *raconte l'histoire d'un paquebot gigantesque, le* Titan. *Comme le* Titanic, *il est réputé insubmersible ; et, comme lui, il coule au cours de son voyage inaugural après avoir percuté un iceberg. Autre détail prophétique : les canots de sauvetage du* Titan *n'étaient pas assez nombreux pour que tous les passagers puissent y embarquer.*

À VOIR
Titanic, de James Cameron,
avec Kate Winslet et Leonardo Di Caprio

Italianamerican, de Martin Scorsese
Un beau documentaire sur Little Italy, le quartier italien de New York où a grandi le réalisateur américain.

L'AUTEUR

Christine Féret-Fleury a travaillé dans l'édition avant de se consacrer à l'écriture. Depuis, elle a beau rester collée à son clavier d'ordinateur, les journées sont trop courtes pour venir à bout de toutes les histoires qui lui passent par la tête ! Elle a publié une trentaine de livres pour la jeunesse, mais aussi des romans pour les adultes et des anthologies. Elle écrit régulièrement des fictions radiophoniques et anime des ateliers d'écriture destinés aux passionnés de tous les âges.

D'autres romans par Christine Féret-Fleury

Premier galop, avec Régine Detambel,
« Drôles d'aventures », Folio Junior, Gallimard Jeunesse

La Tour du silence, Chaân (trois tomes), **Le Dormeur du Val, L'Apocalypse est pour demain, L'assassin est sur son 31, Certains l'aiment froid, Baisse pas les bras, papa !** Castor Poche, Flammarion

La série **En selle !**, avec Geneviève Lecourtier, Pocket Jeunesse

L'auteur remercie Jean-Guillaume Féret pour ses recherches sur Internet et sa participation au travail de documentation qu'a exigé l'écriture de ce livre.

Mon Histoire

Pendant la guerre de Cent Ans

JOURNAL DE JEANNE LETOURNEUR, 1418

23e jour de mars, après souper

Tant qu'il me sera possible, j'écrirai tous les jours jusqu'à ce que cette maudite guerre finisse. S'il m'arrivait malheur, j'aimerais que mes parents retrouvent ce souvenir de moi. Quelqu'un pourra peut-être le leur porter. Ils s'appellent Thomas et Marie Letourneur et résident à Louviers, près de l'église Saint-Jacques. Moi, je suis Jeanne, née le jour de la Saint-Martin. Nous sommes à présent en l'an 1418. Cela fait trente-huit ans que Charles le Bien-Aimé est notre roi et tout va mal dans le royaume de France. Maman m'a souvent raconté comment ces brutes de soldats anglais pillent les maisons, saisissent les bourses et les bijoux, emportent les moutons et parfois aussi les jeunes filles.

ÉCRIT PAR BRIGITTE COPPIN

Mon Histoire

L'Année de la grande peste

JOURNAL D'ALICE PAYNTON, 1665-1666

3 juillet 1665

Tante Nell est revenue toute pâle du marché. Elle a entendu deux hommes discuter : la semaine dernière, sept cents personnes sont mortes de la maladie. La peste s'est bel et bien installée à Londres. Une longue discussion a eu lieu à la maison, et je vais devoir partir pour Woolwich avec tante Nell. J'ai refusé de m'en aller sans mon chien et papa a cédé. Au moins Poppet apportera un peu de joie à la ferme. On m'a envoyée me renseigner sur les horaires des péniches, mais quelque chose m'a arrêtée en chemin : une croix rouge était peinte sur une porte de la rue voisine. Au-dessus de la croix était écrit : « Dieu ait pitié de nous. »

ÉCRIT PAR PAMELA OLDFIELD

Mon Histoire

Marie-Antoinette

PRINCESSE AUTRICHIENNE À VERSAILLES

1769-1771

13 juin 1769

Oh mon Dieu, ça y est ! elle est enfin là – la demande en mariage ! Les émissaires du roi Louis XV sont arrivés ce matin. J'ai tout de suite été appelée dans la maison d'été où maman travaille. Je pensais que j'allais me faire gronder parce que j'avais joué à me laisser rouler le long des collines ! Mais j'ai à peine posé le pied dans la salle de réception en marbre que maman s'est précipitée vers moi. Elle m'a écrasée sur sa poitrine et m'a murmuré : « Antonia, tu vas te marier ! Tu vas devenir reine de France ! » Ses joues étaient toutes mouillées de larmes, et les miennes n'ont pas tardé à l'être aussi !

ÉCRIT PAR KATHRYN LASKY

CRÉDITS PHOTOGRAPHIQUES

couverture : [médaillon et quatrième] détail de photographie, ferrotype, anonyme XIXe siècle, musée d'Orsay, Paris © F. Raux/RMN ; [bas] « Le Titanic à Southampton », aquarelle, J.C. Ashford, © The Art Archive / Ocean Memorabilia Collection.

page 151 : publicité pour la compagnie White Star Line annonçant le départ du 20 avril 1912 © Hulton Archive/Getty Images, page 153 : « Le naufrage du Titanic », aquarelle, J.C. Ashford, © The Art Archive/Ocean Memorabilia Collection ; Canot de sauvetage des rescapés du Titanic arrivant au Carpathia © Rue des Archives.

Mise en pages et cartographie : Aubin Leray

Loi n° 49-956 du 16 juillet 1949
sur les publications destinées à la jeunesse

N° d'édition : 132773
Dépôt légal : avril 2005
ISBN : 2-07-051153-7

Imprimé en Italie par LegoPrint